Mujeres de conquista

CARLOS CUAUHTÉMOC SÁNCHEZ

Mujeres de conquista

Hay un tipo de mujeres para quienes nada es imposible

IMPORTANTE: ¡NO SE ARRIESGUE!

Vender o comprar libros piratas es un delito federal penado severamente. Sólo los libros originales *Mujeres de conquista,* tienen un holograma de autenticidad. Si este libro no lo tiene, o usted sospecha por su mala calidad que es un libro pirata, absténgase de venderlo o comprarlo pues su simple posesión es prueba de delito y usted puede ser acusado de tráfico de piratería.

Por otra parte, es muy común que los libros pirata hayan sido modificados, mutilados y alterados gravemente en su contenido.

ISBN 968-7277-64-5

Mariano Escobedo No. 62, Col. Centro,
Tlalnepantla, Estado de México, C.P. 54000, Ciudad de México.
Tels. y fax: 5565-6120 y 5565-0333 Miembro núm. 2778 de la Cámara Nacional de la Industria Editorial Mexicana. Correo electrónico:
info1@editorialdiamante.com ventas@editorialdiamante.com

Diseño de portada y formación: L.D.G. Leticia Domínguez C.

(*) Versículos bíblicos parafraseados en orden de aparición:
Jn 1,1; Heb 11,1; Heb 11,6; Luc 8,50; Sal 3,1; Mr 10,46; Mt 5,23; Ef 6,2; Luc 17,33; 1 Cor 13; Luc 17,3; 1 Cor 2,9; Jn 6, 26; Sal 145,8

www.editorialdiamante.com
www.carloscuauhtemoc.com

IMPRESO EN MÉXICO / PRINTED IN MEXICO

Ustedes me enseñaron
o inspiraron
todos los conceptos
plasmados en este libro
Pilar
Sheccid
Rosa Elena
Ivonne
Ivi Sahian
Liliana
Gracias por ser
las mujeres de mi vida

ÍNDICE

1

EL TERREMOTO

—¿Qué ocurre, hijo?

—Es un temblor, mamá. Tranquila.

Se quedaron quietos. Los movimientos disminuyeron y hubo un breve silencio.

—¿Lo ves? Ya está pasando.

Pero en ese momento la vibración reinició con más fuerza. Leonardo vio el espeluznante suceso en cámara lenta: La lámpara sobre el buró oscilando como movida por una mano invisible, las cortinas ondeando, el piso desplazándose cual balsa en altamar.

—¡Dios mío! No para.

La atmósfera se había cargado de electricidad y las paredes rechinaban; parecía que el edificio entero estuviera respirando. Repentinamente, brotó como un enorme rugido. Leonardo advirtió el rostro desencajado de su madre, sus ojos aterrorizados y sus manos venosas agitándose sin control.

—¡Hijo! El edificio... se... se va a caer...

Quiso acercarse a ella, pero las sacudidas lo echaron hacia atrás. El estruendo de las paredes cimbrándose y el atroz crujido del techo se mezclaron con un fragor de cristales rompiéndose. Otra vibración lo lanzó dos metros adelante y lo hizo caer de rodillas. Su madre enloqueció. Comenzó a gritar y echó a correr. Leonardo la perdió de vista.

—¡Sal del depar..! —no pudo terminar la frase porque el pavor y la confusión le cerraron la garganta—. ¡Aisha! —balbuceó después—, ¡mi hermana está dormida! Tengo que despertarla.

Se puso en pie con movimientos torpes. Alcanzó a ver de reojo cómo se partía la pared a su izquierda. Haciendo un esfuerzo sobrehumano, logró gritar:

—¡Mamá, sigue corriendo! ¡Sal de aquí!

Un terrorífico tronido del techo le heló la sangre.

Era el momento de saltar hacia afuera. Podía hacerlo. Tenía la habilidad y la fuerza para abrirse paso y llegar a la calle en unos segundos, pero su hermana estaba atrapada en la habitación. Regresó a ayudarla.

Se había abierto una grieta que corría como serpiente. Justo detrás de donde había estado su madre, el techo cayó, y una nube de polvo se extendió con rapidez.

—¡Esto no puede estar ocurriendo! ¡Aisha! —quiso abrir su puerta, pero estaba atorada por las piedras; la golpeó—. ¡Hermana, despierta!

La segunda sección se vino abajo sobre la entrada del departamento cerrando el paso con escombros y tierra.

—¡No!

Las venas de su cuello se hincharon por el alarido, mas su voz se perdió entre las explosiones provocadas por los desgajamientos.

—¡Estoy soñando! ¡Es sólo una pesadilla!

Los escombros seguían cayendo. La nube de polvo lo envolvió. Perdió el equilibrio. Puso las manos contra el trepidante piso para avanzar a gatas. Enormes y pesados trozos del techo caían a su alrededor. El instinto de supervivencia lo hizo volver a su recámara y refugiarse debajo del escritorio. Se encogió cuanto pudo, cubriéndose la cabeza con las manos. Fatalmente, el techo y las paredes cedieron. Sintió que el piso se hundía. Por un instante quedó suspendido en un colchón de aire y luego fue succionado al vacío por una descomunal fuerza. El suelo se desmoronó llevándose todo consigo, arrasando muebles y aparatos. En un instante descendió y fue arrojado entre escombros. Un golpe seco, terrible, detuvo su caída. Su fémur izquierdo se partió en dos y el dolor implacable le subió por el muslo al darse cuenta de que una especie de puntal le había atravesado la pierna. A cada respiración tragaba tierra.

Entonces perdió el conocimiento.

Estaba enterrado en una tumba de concreto.

Eran las 7:17 del 19 de septiembre de 1985 en la ciudad de México. Los conductores de medios interrumpían sus noticieros y programas de entretenimiento para anunciar, primero con asombro y después con temor lo que ellos mismos estaban sintiendo.

El epicentro se localizaba en el Océano Pacífico frente a la desembocadura del Río Balsas en Michoacán, sin embargo la intensidad con que las ondas de choque se propagaban a una distancia de cuatrocientos kilómetros estaba superando las peores expectativas para un sismo de este tipo.

La tremenda fuerza del terremoto derrumbaba todo a su paso. Elevadas construcciones aparentemente sólidas caían una detrás de otra como fichas de dominó. Los gruesos rieles de antiguos tranvías se retorcían separándose del piso; pesadas paredes se hacían añicos mientras los árboles levantaban sus raíces rompiendo el concreto con una fuerza feroz.

En los edificios del centro la gente salía de sus departamentos y corría por los pasillos empujándose frenéticamente en su desesperación por alcanzar las escaleras. Muchos caían al suelo mientras los demás pasaban sobre ellos. Hombres y mujeres aterrados, solos o con niños en brazos, se apretujaban en los elevadores. El ruido de los derrumbes ocasionaba una histeria colectiva. Todos actuaban sin juicio, buscando escapar.

Quienes dormían no alcanzaron a salir de la cama. Algunos ni siquiera lograron darse cuenta cuando el edificio se desplomó.

El caos hizo presa de toda la ciudad. En los pasajes subterráneos del metro los vagones se detuvieron y la gente que viajaba dentro comenzó a llorar y a gritar en medio de la oscuridad.

Una espesa nube gris se extendió por la metrópoli al tiempo que la electricidad, los teléfonos y los transportes dejaron de funcionar. Todas las calles se llenaron de personas desconcertadas, que aunque estaban a salvo, sentían pánico porque sabían que miles más habían quedado atrapadas.

Con asombrosa velocidad, las consecuencias del desastre se hicieron evidentes y comenzaron a escucharse gritos de auxilio.

—¡Por acá, por favor! ¡Toda mi familia está adentro!

Se oían los desgarradores lamentos de mujeres desquiciadas y los rumores colectivos que aseguraban cada vez con mayor fuerza las espeluznantes noticias:

—¡Se cayó el Centro Médico!

—¡Se vinieron abajo los edificios de Tlatelolco!

Y las voces llenas de urgencia de individuos que escarbaban en los escombros, destrozándose las uñas, moviendo los brazos como locos, llamando al aire:

—¡Acá, vengan acá! ¡Aquí hay gente viva!

Todas las estaciones de bomberos y policías comenzaron a trabajar con alarma roja tratando de organizarse para combatir los incendios que se propagaban y amenazaban con hacer explotar millones de cilindros de gas, pero el agua para apagar el fuego también faltaba y a los rescatistas se les veía como fantasmas, con los ojos hundidos y los semblantes impotentes. Nadie sabía qué hacer para acallar los estremecedores lamentos que se deslizaban por entre los vidrios rotos y edificios destruidos.

Leonardo se movió un poco.

Las vigas que habían sostenido las paredes se doblaban sobre él, acercándose milímetro a milímetro y haciendo su cárcel cada vez más estrecha. Los escombros le cubrían ambas piernas. Tenía la cabeza inclinada sobre su hombro izquierdo y, en conjunto, parecía una marioneta con los hilos sueltos. Toda su ropa estaba desgarrada. Junto a él, la lámpara del buró se encendía y se apagaba con breves intervalos.

Poco a poco, dolorosamente, recuperó la conciencia. Estaba acostado boca abajo. Al tratar de moverse, dejó escapar un gemido de dolor. Su pierna izquierda se había destrozado. Tardó varios minutos en poder abrir los ojos. A cada intento, minúsculas partículas de polvo se lo impedían. Sentía como agujas clavadas por todo el cuerpo, pero lo más terrible era la sensación de asfixia. Abrió la boca tratando de respirar profundo y eso le provocó un acceso de tos.

Entonces comenzó a sentir claustrofobia. Nunca antes había experimentado una emoción tan pavorosa. Su corazón latió con rapidez y su presión arterial subió al límite. Se movió con desesperación tratando de escapar, pero el esfuerzo lo hizo perder el aliento. Vagamente comprendió que debía hacer aspiraciones cortas, pero la fobia a morir encerrado es una condición cercana a la locura en la que no es posible razonar con claridad y sólo existe el anhelo exasperado de salir a un espacio abierto y respirar aire limpio.

Todo estaba en penumbras. En sus frenéticos esfuerzos logró liberar la pierna derecha. Se le oscurecía la visión y las sienes le palpitaban como si fuera a perder otra vez el conocimiento. Cada espasmo muscular era un suplicio, pero cuando tensó los músculos de la pierna izquierda volvió a desvanecerse por un instante a causa del terrible aguijonazo. Después se quedó inmóvil. El pánico lo tenía sujeto por el cuello como un monstruo demoníaco a punto de matarlo. Gritó:

—¡Dios mío! ¡Ayúdame, por favor!

Su corazón latía con tanta fuerza que estaba cerca de sufrir un infarto. Comenzó a rezar.

—Padre nuestro que estás en el cielo… Pa… padre nues... tro…

Pero su oración se convirtió en llanto. Llevó ambas manos hacia la cara e hizo un cuenco tratando de usarlo como filtro para el polvo, mientras gemía:

—Dios mío, dame aire. Necesito aire… No importa que no pueda moverme, pero déjame respirar.

Entonces notó la incongruente luz de la lámpara a unos centímetros de sus ojos. Seguía encendiendo y apagando como el brillo de una luciérnaga moribunda enterrada en un denso manto de polvo. Pensó que esa luz tintineante representaba el leve aliento de vida que le quedaba a él y tal vez a su madre…

Mantuvo la vista fija en la luz hasta que se apagó por completo.

2

TLATELOLCO

¡Quien hubiera pensado que su regreso a casa sería justo unas horas antes del terremoto más devastador que había ocurrido en esa región!

Entre nubes recordó la forma en que había llegado a la ciudad de México la noche anterior. Se vio a sí mismo como en una película, bajando del avión. En el área de llegadas internacionales había poca gente.

Giró la cabeza hacia todos lados con desconfianza.

Temía ser descubierto en público.

Quizá había cámaras escondidas y la vigilancia del aeropuerto lo estaba analizando.

Corrió hacia el baño más cercano e irrumpió en él, jadeando. No había nadie adentro. Abrió una llave del lavabo y se mojó la cara. Vio su imagen reflejada en el espejo. Parecía un hombre joven todavía, no mayor de treinta años, pero con evidentes rasgos de tensión y cansancio. Cerró los puños para controlar el temblor de sus manos. Poco a poco fue tranquilizándose, hizo profundas aspiraciones y notó cómo el ritmo de su corazón volvía a la normalidad.

—Ya relájate, ¿quieres? —se dijo—, huiste de aquí hace cuatro años. Quizá nadie recuerda lo que pasó, ni te están buscando, ni terminarás en la cárcel. ¡Sólo vas a pasar unos días con tu familia! Ellos merecen saber de ti y tú lo necesitas.

Salió del baño; pasó los trámites de migración y aduana fingiendo naturalidad, pero sus manos sudaban. Después abordó un taxi y pidió que lo llevaran a un hotel. Dormiría un poco y aplazaría con el sueño el momento en que iba a enfrentarse con su pasado.

Se acostó en la cama sin desvestirse; de inmediato sintió que las energías lo abandonaban. Un momento antes de perder la conciencia, como todas las noches desde hacía cuatro años, en su cabeza resonó una pregunta: "¿Cómo puede conciliar el sueño alguien que ha cometido un asesinato?"

No había sistemas de alarmas sísmicas en la ciudad. Nadie sospechaba del terremoto que estaba a punto de sobrevenir.

Leonardo despertó muy temprano, se metió a bañar; el agua le devolvió la energía y lo llenó de esperanzas. Desayunó bien y salió del hotel con paso apresurado. Todavía estaba oscuro. Detuvo un taxi y le pidió al chofer que se dirigiera hacia Tlatelolco.

Esa mañana de septiembre era como muchas otras, ligeramente fría. La ciudad comenzaba a despertar y se veían unos cuantos transeúntes casi corriendo para tomar el microbús. Volvió a sumirse en sus reflexiones. Anhelaba ver a su madre y abrazar a su hermana Aisha, a quien abandonó cuando ella apenas tenía dieciséis años. Respecto a su padre no sabía si deseaba verlo... Siempre fue un hombre enigmático de ideas ambivalentes. Lo recordaba como su entrenador de baseball, enseñándole y dándole ánimos, pero también como el hombre que lo puso en el camino de la degradación.

Le pidió al chofer que se desviara. Deseaba ver el centro nocturno de su padre. ¿Todavía estaría en funcionamiento? ¿Aún sería de los sitios en los que trabajaban algunas de las prostitutas más selectas de la ciudad?

El taxista se detuvo frente al edificio. Era una construcción vieja. En la fachada había un discreto anuncio luminoso que en esos momentos estaba apagado.

—Oiga —cuestionó el chofer con vulgaridad—, ¿se acaba de levantar y ya quiere acostarse de nuevo? ¡A esta hora no creo que encuentre ninguna muchacha sobria!

Leonardo no contestó porque estaba perdido en sus ensoñaciones.

—¿Se va a bajar? —insistió el taxista con impaciencia.

—No.

¡Cuántos recuerdos ingratos se agolpaban en su cerebro mientras contemplaba la fachada del antro! Mujeres bailando muy despacio, quitándose la ropa poco a poco y haciendo contorsiones alrededor de un tubo. Hombres fumando y bebiendo licor. Dinero. Mucho dinero y su padre sentado en el escritorio panorámico del lugar, charlando con amigos. Casi pudo revivir una de las conversaciones habituales de las que fue testigo. Los borrachos se arrebataban la palabra:

—Las mujeres son como los semáforos: después de las doce de la noche, nadie las respeta.

—O como la tierra, porque es de quienes las trabajan.

—O como los zapatos, porque si no aflojan con alcohol, aflojan con el tiempo.

Las carcajadas, el ruido del *table dance* y los grotescos gritos de los beodos daban al lugar un ambiente dantesco.

—Es mejor ser hombre que mujer porque los hombres no somos tan indecisos, no menstruamos, podemos orinar de pie y donde sea, cuando otros platican con nosotros no se la pasan echando vistazos a nuestro pecho, podemos usar el mismo traje y no parecemos retrato, diferenciamos entre amor y sexo, y podemos tener uno sin el otro y, sobre todo, mientras más abultada es nuestra cartera, las mujeres dicen que tenemos mejores nalgas.

—Oiga, señor —protestó el taxista—. Si vamos a estar aquí estacionados, va a tener que pagarme el tiempo.

—Sí, sí.

Vio salir por la puerta lateral a Benito, el anciano que se ocupaba de la limpieza desde hacía muchos años.

Abrió la ventana para saludarlo.

—¡Don Benito! —gritó—. Hola.

El hombre se acercó al taxi, entrecerrando los ojos para enfocar la mirada.

—¿Leonardo? ¿Es usted?

—Sí —se bajó del auto y abrazó al anciano—. Soy yo. Ya regresé. Dígame. ¿Cómo está todo por aquí?

—Mal, muy mal. El negocio se vino abajo. Casi no tenemos clientes. Las muchachas se fueron. Su papá vendió el local. El nuevo dueño está tratando de contratar más bailarinas, pero este sitio está salado…

—¡No me diga! ¿Y mi papá? ¿Dónde está?

—Me dijeron que quiso poner otro centro nocturno, pero tampoco le fue bien.

El taxista intervino en la conversación sin bajarse del auto.

—Señor, me tengo que ir. Esta es la hora pico de trabajo para mí. No puedo estar parado.

Leonardo se despidió de don Benito y se subió al taxi. El auto avanzó.

En las esquinas había pequeños grupos de niños y adolescentes en uniforme; la gente cruzaba sorteando el tráfico. Había ruidos discordantes de motores y cláxones. A los pocos minutos se vio a lo lejos el perfil de la unidad habitacional Nonoalco-Tlatelolco. Era un complejo y apretado conjunto de edificios, todos tan parecidos entre sí que mucha gente se sentía perdida al caminar por sus pasillos interiores.

—Deberían quitar esta plaza —opinó el taxista—, y convertirla en estacionamiento.

—¡Cómo puede decir eso! ¡Estamos en un sitio histórico!

—¿Qué importa? ¿Para qué sirve la historia cuando en la ciudad ya no caben los carros?

—¡Para recordar el dolor y valorar lo que tenemos!

—¿El dolor? ¿Cuál dolor?

—Éste fue el centro comercial más importante del México prehispánico. Aquí mismo Cuauhtémoc resistió un sitio que duró ochenta largos días hasta que fue hecho prisionero por Hernán Cortés. Los indígenas que no murieron en esas batallas sirvieron después como esclavos de los españoles y construyeron la parte colonial de la zona. Las enormes paredes de la iglesia de Santiago que se ven desde aquí fueron levantadas con la sangre de esa gente desvalida. Muchos años después en octubre de 1968, centenares de estudiantes fueron asesinados en este lugar. ¡Cada etapa histórica de la plaza fue regada con sangre!

—¡Órale! Usted sí sabe. ¿Es maestro o algo así?

—No. Pero crecí aquí. Luego me fui al extranjero y sólo estando lejos investigué y valoré todo eso. La *Plaza de las tres culturas* se llama así porque aquí se representan la prehispánica, la colonial y la contemporánea. ¿Ve los restos arqueológicos? Están rodeados de edificios modernos y coloniales. Es una maravilla.

—Bueno, gracias por la clasecita, pero hay que chambear. ¿Me paga?

Leonardo le dio dinero, bajó del taxi y caminó con paso vivo. Por un momento se olvidó de la paranoia que lo hizo huir.

No pensó más en el riesgo de ser arrestado. ¡Ahora estaba frente a su casa! ¿Cómo lo recibirían? En esos cuatro años no se había vuelto una mejor persona, por el contrario; estaba más confundido y triste que nunca. Tuvo en sus manos todos los elementos para ser feliz, pero no supo aprovecharlos. Se sentía un fracasado. Deseaba encontrarse con su madre y su hermana para llorar con ellas su ruina y hacerles confidencias que jamás les hizo. ¡Deseaba sobre todo charlar con Aisha! Era muy joven cuando la vio por última vez, pero ahora tendría veinte años.

Estaba seguro de que las encontraría ya despiertas, preparándose para salir, una al trabajo y la otra a la universidad. Su papá, por otro lado, estaría todavía dormido. Se desvelaba tanto que nunca despertaba antes de la una de la tarde.

El departamento se hallaba en el segundo piso. Sólo había que subir veinte escalones. Lo hizo despacio.

3

CITATORIO

Cuando volvió en sí levantó la vista. De entre las piedras se filtraba un pequeño rayo de luz perpendicular. Quiso buscar su reloj. No lo tenía. Si el sol estaba en el cenit serían como las doce del medio día. ¡Eso significaba que había estado desmayado más de cuatro horas!

Aguzó sus sentidos y pudo percibir el reacomodo de las planchas de concreto. Vio una enorme mole de escombros suspendida por encima de su cabeza amenazando con aplastarlo. Quiso moverse, pero el dolor aguijoneante de la pierna lo paralizó.

Escuchó un leve crujido sobre su cabeza; advirtió la enmarañada red de vigas retorcidas formando una especie de jaula que lo protegía y lo amenazaba a la vez, meciéndose hacia él. A cada crujido la gran mole soportada por largueros cerraba más el espacio. Después el bloque se recargó contra los restos de una trabe y el rayo de luz se desvió hasta casi desaparecer. Debían haber toneladas de concreto sobre él. Vio que a su lado izquierdo, junto a la única pared erguida había una pequeña cavidad irregular como de dos metros cúbicos. Intentó arrastrarse hacia ella y lanzó un alarido de dolor. Al tratar de ayudarse con las rodillas, sintió que el jalón liberó su pierna, pero no pudo ir más allá. Comenzó a llorar y a gritar.

—No, por favor. No, Dios santo. Déjame despertar. No quiero estar aquí. No puedo estar aquí. ¡Esto no es cierto!

El polvo inundaba sus fosas nasales. Con ayuda de los codos volvió a incorporarse un poco y se arrastró hasta el sitio más amplio. El corazón le latía desbocadamente. Estaba sufriendo un nuevo shock; su cuerpo comenzó a sacudirse preso de temblores incontrolables.

—¡Ayuda!, ¡ayúdenme por favor!

Estuvo gritando hasta que se desgarró la garganta y le faltó el aliento.

Descansó un poco, pero la angustia lo impulsaba a seguir clamando. Reunió las fuerzas y lanzó un bramido estremecedor.

Entonces vomitó. Su estómago se contrajo varias veces. Se limpió la boca.

Era inútil. Estaba completamente solo.

Comenzó a llorar. Un intenso terror se apoderó de él. La sensación de encierro en ese reducido espacio era insoportable. Se irguió unos centímetros y su espalda chocó contra los bordes de las vigas. La pierna lo aguijoneó de nuevo pero de una forma sorda, como si hubiera sido adormecida por anestesia. Se desplomó y volvió a perderse en una rara inconsciencia que lo transportaba al pasado.

Se vio a sí mismo varios años atrás.

Las bailarinas desnudistas más voluptuosas y cotizadas de la ciudad trabajaban para su padre. Era un placer contemplarlas moviéndose sobre la tarima. Aunque su papá decía no sentir atracción por ellas, a Leonardo le extasiaba verlas.

Él era un joven de veinticinco años. Acababa de terminar la carrera de licenciado en administración de empresas y nunca se imaginó que el restaurante bar de la familia que tanto soñó con administrar, acabaría dando ese giro.

Cuando le avisaron que había supervisores en la puerta, se puso nervioso. Su papá no estaba en el negocio esa noche, quiso localizarlo por teléfono, pero no lo logró. Esforzándose por parecer enérgico salió a atenderlos.

En esta ocasión los inspectores de la ciudad venían acompañados de tres mujeres.

—Traemos un citatorio —le dijo el de mayor rango—. Su negocio está siendo notificado por irregularidades graves.

—¿Perdón? —preguntó Leonardo—, ¿qué dice?

El inspector principal presentó a sus acompañantes.

—Las licenciadas vienen a dar fe de la entrega del citatorio. Según parece, en este lugar se cometen actos de abuso físico y verbal, además de que se infringe de forma flagrante el uso del suelo.

Leonardo tartamudeó.

—E... eso lo dice... ¿quién?

—Se lo explicarán en la comparecencia.

—¿Cuál comparecencia? Yo no voy a ir a ninguna...

Leonardo se interrumpió para aguzar la vista. Con la luz mortecina del anuncio exterior acababa de distinguir algo que lo dejó boquiabierto. Entre la comparsa de fiscalizadores había una joven a quien él conocía.

—¿Eres Denise? ¿Qué haces aquí?

La mujer dio un paso al frente con decisión para encarar a Leonardo.

—Efectivamente me llamo Denise Ciani. Soy abogada y asesora legal del grupo que me ha contratado. Llevo los casos de infracciones y excesos contra mujeres como en los que se inciden aquí.

—Denise... ¿qué te pasa? Soy Leonardo, ¿no me reconoces?

—Sí, pero eso no importa. Estamos visitando muchos negocios como el de usted.

—¿Por qué me hablas de "usted"?

El inspector intervino.

—Por favor, déjese de juegos y firme aquí.

—¿Firmar? ¡Yo no acepto eso! ¡No tengo por qué firmar nada!

—Con su firma sólo está indicando que recibió el documento. No significa que acepte los cargos en su contra.

Leonardo se quedó quieto unos segundos sin acabar de comprender. Después garabateó su rúbrica y entró al local.

Llamó por teléfono a su padre.

En cuanto el viejo escuchó la historia, se enfureció.

—¿Firmaste de recibido? No seas imbécil. Debiste negarte. ¿Quiénes eran?

—Los inspectores de la ciudad.

—¿Don Quijote y Sancho Panza? ¡Pero si esos borrachos están en nuestra bolsa! ¿Por qué no hablaste con ellos a solas? ¿Por qué no los sentaste en una mesa para que vieran a las muchachas y les ofreciste un trago?

—Esta vez no se pudo. Parecían tensos. Venían acompañados por tres mujeres. Una de ellas...

—¿Mujeres? ¡Esto es el colmo! ¿Para cuándo es la cita?

—Para la semana que entra.

—¡De acuerdo, vamos a ir y te enseñaré cómo se arreglan estos asuntos!

Leonardo no quiso hacer más aclaraciones a su padre, pero el día indicado lo acompañó a las oficinas de gobierno.

Fueron pasados a la sala de juntas en donde se celebraría la comparecencia. Alrededor de una mesa rectangular estaba el jefe de licencias y dos damas bien arregladas. Una mayor de edad y la otra joven. En cuanto Leonardo la vio, sintió que su corazón comenzaba a latir con más fuerza. Era Denise. Otra vez estaba ahí. Lo más increíble fue que su padre no la reconoció.

Todos tomaron asiento.

—En el citatorio que recibieron —comenzó el director de la oficina—, se les requirió para que mostraran todas las licencias de su negocio. ¿Las traen consigo?

El señor Villa extendió los papeles.

—Aquí están.

—Muy bien. Déjeme revisarlos.

Mientras el funcionario hacía su trabajo, el padre de Leonardo analizó a las mujeres. La mayor tendría unos sesenta años, era guapa, de aspecto ejecutivo y mirada de cazador. La otra, joven, de unos veinticinco años, vestida a la moda, con cabello negro lacio y mejillas ligeramente sonrosadas. Le pareció familiar, pero de inmediato quiso imaginársela desnuda. La joven se sintió incómoda por la mirada morbosa del hombre y se movió como si la silla quemara.

—A ver —dijo el funcionario al fin—, señor Villa, iré al grano. Su negocio tiene decenas de condiciones inseguras y todas las licencias vencidas. Voy a tener que cerrarlo.

—¿Cerrarlo? ¡No me haga reír!

—Además, el uso del suelo en esa zona no permite giros comerciales como el de usted.

—¿Perdón? ¿Oí bien? ¡Hay tres centros nocturnos más por ahí!

—Todos van a ser clausurados. Mi trabajo es revisar las licencias, pero es sólo el principio del problema. Existe una querella levantada contra los negocios como el suyo, promovida por una asociación civil que vigila los derechos humanos de las mujeres.

—Sí —mostró los dientes como sonriendo—. Dijeron que cometemos actos de abuso físico y verbal. ¿Nos pueden explicar eso? ¡Somos una fuente de trabajo! Protegemos a las mujeres que laboran con nosotros y les permitimos desarrollarse en la actividad que *ellas* eligieron.

El funcionario presentó a las damas que estaban sentadas a la mesa:

—La señora Guadalupe Ferro es fundadora y directora de la asociación civil. La licenciada Denise Ciani es asesora legal del grupo. Ellas le van a explicar.

Leonardo miró a su padre de reojo. ¡Era increíble que ni siquiera después de escuchar el nombre de Denise la reconociera! Es cierto que había cambiado. Se había vuelto toda una ejecutiva y no quedaban rastros de la niña juguetona y dulce que los visitó con frecuencia durante tantos años... ¡pero seguía teniendo esa fisonomía entre gitana y malagueña que la caracterizaba!

Ambas mujeres pusieron sus tarjetas de presentación sobre la mesa. Leonardo se apresuró a tomarlas.

—Nuestra agrupación —dijo la directora—, está dedicada a dar apoyo legal, psicológico, espiritual y financiero a las mujeres con problemas. Promovemos los principios éticos. Cuidamos que no se cometan actos de abuso o discriminación sexual. En negocios como el de usted se explota a las personas, se lucra con la genitalidad femenina, se rebaja a las mujeres tratándolas como mercancías.

—¡Momento! ¡Ya se lo dije! ¡Ellas lo hacen por voluntad propia! Nadie las obliga. Las que llegan a mi local ya se han rebajado a sí mismas. ¡Yo sólo las pongo a trabajar!

—Señor Villa. ¿Ha leído usted un poema clásico de Sor Juana Inés de la Cruz llamado "Hombres necios"? Todo el mundo lo conoce. Por favor, búsquelo en un libro y léalo palabra por palabra. Cuando una mujer se degrada a sí misma es porque ha sido etiquetada como objeto sexual por los sujetos con los que ha convivido. Ninguna de sus empleadas llegó siendo virginal ni ingenua, eso es cierto, pero seguramente cuando usted las conoció ya habían pasado por muchos ultrajes, llanto y humillaciones. Además, señor Villa, fuera de asuntos éticos, su negocio opera al margen de la ley. ¡Está dado de alta como restaurante! "Cocina casera", para ser exacta, y se dedica a promover la prostitución.

—¡Claro! Es cocina porque damos comida, y es casera porque hay mujeres.

—No entiendo el chiste.

—Sin que usted se ofenda, señora, voy a hablarle con transparencia. Las mujeres siempre han soñado con cambiar al mundo. Son idealistas, pero al final sólo acaban ejerciendo las funciones para las que fueron creadas.

—¿De verdad? ¿Y cuáles son esas funciones, según usted?

—Cuidar la casa, educar a sus hijos, cocinar, dar placer sexual a los hombres e ir a la iglesia —el señor Villa comenzó a sonreír por lo que le pareció un parlamento genial—, si lo analiza con cuidado en mi negocio tenemos todo, ambiente casero, educación de jovencitos, comida, placer sexual y la visita eventual de algunos religiosos.

—No estará hablando en serio.

—Claro que sí. Ponga los pies en la tierra, señora y deje de crear problemas. Ustedes no van a poder contra mí ni lograrán cerrar los negocios como el mío. Tienen una inquietud legítima, la cual comprendo, pero es improcedente. Yo les sugiero que en vez de rescatar a las mujeres perdidas, traten de prevenir a las que no lo están. ¿Qué les parece? Yo no puedo desperdiciar mi tiempo. ¡Pongámonos de acuerdo! ¿Cuánto dinero quieren para dejarme en paz?

Guadalupe movió la cabeza. El funcionario de gobierno opinó:

—Me parece que ahora están hablando un lenguaje de conciliación. Acaben con esto y después, usted señor Villa tendrá que quedarse conmigo para arreglar el tema de sus licencias.

—No lo puedo creer —intervino Denise—. Esta conversación apesta.

Entonces el papá de Leonardo miró directo a los ojos de la joven abogada y se quedó estatizado unos segundos.

Acababa de reconocerla.

Siempre es un alivio despertar cuando los sueños son malos; Leonardo pensó que había tenido una pesadilla y sintió el alivio de volver poco a poco a la comodidad de su habitación en Cádiz.

Amodorrado, estiró el pie para tocar la tersa piel desnuda de su esposa, pero al hacerlo sintió el aguijonazo. Entonces abrió los ojos abruptamente tratando de reconocer su alcoba. Quiso alcanzar la lámpara de mesa para encender la luz. ¡El apagador no estaba en su lugar! Había una penumbra densa cargada de partículas nauseabundas. El fantasma negro del pánico se posó sobre él. ¿Sería posible que la cruel pesadilla fuera esa? ¿La vida real?

Lanzó un alarido de desesperación.

—¡Nooooooooooooo!

Deslizó su cuerpo en el piso para apoyarse en la pared y encontrar la mejor postura. Hizo muchas aspiraciones cortas por la boca queriendo controlar el terror.

—Tal vez haya una salida —murmuró—. Estoy bien. Me encuentro vivo...

Repitió las frases una y otra vez para darse ánimo, luego comenzó a hacer rechinar sus dientes.

Los ataques de claustrofobia estaban evolucionando a una forma mucho más benigna de dolor.

Se encorvó en posición fetal y cerró los ojos para alejarse del espantoso presente. Como había dicho Denise en alguna ocasión, la mente humana es como una grabadora. Leonardo necesitaba usarla: Sólo debía oprimir el botón de "play" y un extraordinario mecanismo de defensa lo sacaría de su terrorífica tumba y lo haría viajar al pasado.

[illegible]

DEBATE ENTRE SEXOS

[illegible] la puerta [illegible] que alguien [illegible]

[illegible] Ahora trabajo para una organización que [illegible] las mujeres [illegible] han existido y siempre existirán [illegible] que se fortalezcan y multipliquen.

[illegible]

4

DEBATE ENTRE SEXOS

—¡Yo te conozco, niña! Te llamas Denise Ciani. ¡Claro! Ya lo recuerdo. ¡Qué giros da la vida!, ¿no? ¡Cuántas veces te abrí la puerta de mi casa y te recibí como huésped de honor para que ahora trates de apuñalar por la espalda a tus amigos!

—Se equivoca, señor Villa —respondió con ecuanimidad de abogada—, si aludimos al pasado, fue usted quien traicionó no sólo mi confianza sino la de su esposa e hija. Sin embargo, no estoy aquí por eso. Mi labor es estrictamente profesional. Ahora trabajo para una organización que desea dignificar a las mujeres. Es cierto que negocios como el de usted siempre han existido y siempre existirán, pero en lo posible evitaremos que se fortalezcan y multipliquen.

—¿Qué te pasa, Denise? —protestó el papá de Leonardo—. ¡En mi negocio damos un servicio social! ¿Te imaginas un mundo en el que los hombres no tuviéramos a dónde ir para desahogar nuestros instintos? ¡Piénsalo! Habría un caos. Aumentarían las violaciones, los incestos, las infidelidades. ¡Los hombres estaríamos como locos! Cuando un varón puede pagar por ver y tocar mujeres desnudas, se vuelve más equilibrado en la sociedad.

—¿Quién le dijo eso?

—Es lógico.

—Pues está equivocado. Yo estudié criminalística. Los hombres que asisten a burdeles y prostíbulos son quienes más delitos sexuales cometen. Los registros no mienten.

—Eso es teoría tonta.

—Es psicología comprobada. El cerebro funciona como una grabadora de música que reproduce durante el día y la noche las melodías que grabamos en él. En sus neuronas usted tiene esa música horrenda discriminatoria para las mujeres, porque es la que ha grabado y regrabado. Pero entiéndalo. Es más fácil que un cliente habitual de burdeles llegue a una cita y me desnude con la mirada a que lo haga un hombre de familia que anoche estuvo en casa con su esposa e hijos.

El señor Villa levantó ambas manos y sonrió cínicamente mientras le hablaba al director de la oficina.

—¿Lo ve?, las mujeres siempre acaban refiriéndose a lo mismo: la casa, los hijos, la iglesia, la cocina o el amor, pero no se dan cuenta que su verdadero servicio a la sociedad es el sexo… —se percató de haberse excedido y quiso suavizar el tono—. Lo cual no es algo tan perverso.

Denise Ciani aprovechó el resbalón del señor Villa para acribillarlo:

—¡Qué interesante comentario! Por lo que sé, su madre todavía vive. ¿No es así?

—¡No te metas con ella!

—¿Y cree que sólo ha servido para el sexo?

—Mi madre es una anciana.

—¡Su madre, su esposa y su hija son mujeres! ¿Se atrevería a contratarlas para que se desnudaran delante de un grupo de borrachos?

—Esta conversación es absurda.

—¿Y las mujeres médicos, ejecutivas, escritoras, abogadas? ¿También servimos sólo para el sexo?

—Tus argumentos son de parvulitos, Denise. ¿Eso te enseñaron en la escuela de abogados?

—Señor Villa, yo poseo conocimiento de primera mano para el caso jurídico: Usted era dueño de un restaurante en el que trabajaba toda su familia. Su esposa dirigía a las cocineras y sus hijos ayudaban como meseros y en la caja. Yo misma cooperé varias veces ahí. Me consideraba parte de la familia. Hasta que usted comenzó a hacer negocios sucios y a contaminarnos a todos. Envileció a su hijo y humilló a su esposa. Yo fui testigo de cómo adulteró bebidas alcohólicas y prostituyó a las meseras...

—Eso es mentira. Tendrías que probarlo. ¡Que le pregunten a mi hija! Ella atestiguará a mi favor.

—Sí, señor Villa. Aisha tiene un velo en los ojos porque usted la apartó del restaurante a tiempo y le prohibió volver, pero tarde o temprano se enterará de que su padre, machista, valora a la mujer sólo por su aspecto físico y se olvida de que también somos competentes, diestras y tenemos una capacidad intelectual igual a la de cualquier hombre.

—¡Ahora caigo!, ustedes son de esas feministas; mujeres frígidas y frustradas llenas de rencor, que quieren tomar el poder político para dominar el mundo.

—No, señor Villa —intervino esta vez Guadalupe Ferro—. Yo fundé nuestra agrupación y voy a explicarle algo. No somos feministas. Somos mujeres simplemente, ¡con todas las letras! El reto de nosotras es, sí, conquistar el mundo, pero no para competir con los hombres o lograr el poder político o económico, sino para declarar la paz verdadera, el perdón entre las personas, la comprensión entre naciones, la comunión con el Creador y la victoria de los valores humanos. Las mujeres fuimos dotadas de habilidades distintas a las de los hombres: Espiritualidad, sensibilidad, intuición, resistencia física y emocional. Cuando usamos nuestros dones podemos reconquistar a un marido infiel, borracho o altanero y ayudarlo a convertirse en hombre de bien; podemos reconstruir familias fracturadas o países en crisis. Usted no se equivoca cuando dice que las mujeres pensamos mucho en nuestro hogar, nuestros hijos, la provisión de alimentos, la vida espiritual y el amor. Pero no hay nada de malo en ello. ¡Al contrario! Es lo que le da equilibrio y fuerza verdadera al mundo. Sin la labor poderosa, discreta y a veces desvalorada que las mujeres hacemos, las familias se derrumbarían y la sociedad acabaría siendo una jungla salvaje. Las funciones de las que usted habló, son vitales y me siento orgullosa de ayudar a mantenerlas fuertes.

—No sueñe, señora... ya le dije que sus argumentos me suenan trillados e idealistas. ¡Este mundo es de hombres! ¿No se da cuenta? ¡De hom...bres!

—¡Lo sabemos! —contestó Guadalupe en un tono mucho más intelectual—. A la mujer, como género, se le condena por haber sido la tentadora "oficial" en el paraíso, y sus encantos se referencían como astucia diabólica; la frase voltairiana típica "las mujeres son seres de ideas cortas y cabellos largos" se cita incluso por quienes no tienen el menor barniz cultural, y otros dichos autóctonos como "mujer que sabe latín ni consigue marido ni tiene buen fin" sólo manifiestan que existe una corriente de pensamiento casi inscrita en la información genética transmitida de generación en generación. ¡Pero no porque sea algo común estamos obligadas a aceptarla! Todas las corrientes nocivas se pueden romper. ¡Ése es el reto de la mujer! En mi organización hemos declarado que podemos hacer un cambio en el mundo si nos lo proponemos. ¡Y lo haremos conquistando primero nuestra propia familia y entorno! También hemos declarado que la ciudad estará limpia de drogas, vandalismo, prostitución y corrupción. Queremos un ambiente diferente y vamos a luchar por tenerlo.

—¿Y están comenzando por clausurar negocios como el mío?

—Sí.

—Señora Lupita. No le importa que la llame así ¿verdad?, como a nuestra Virgencita. Mire. Mi esposa era igual de idealista que usted. Ella no estaba de acuerdo en el giro que fue tomando nuestro negocio, hasta que se dio cuenta que gracias a él podía vivir mejor y hasta darse ciertos lujos. ¡Ahora los dos comemos de la misma fuente y ella está feliz! ¡Si usted fuera mi mujer, por cierto que Dios me libre, sus conceptos cambiarían! La moral es relativa.

Guadalupe Ferro movió la cabeza y arremetió con más convicción.

—Yo evito hablar con sujetos que piensan que la moral es relativa. Con esa frase acaba usted de cerrar toda posibilidad de negociación con nuestro grupo.

—¿Por qué dice eso, Lupita? Ya me di cuenta de que toda su argumentación es sólo para acabar quitándome más dinero. Pero sólo les voy a dar lo justo…

—¿Y qué es la justicia para un hombre que piensa que la moral es relativa?

—¡No lo haga más difícil!

—Señor Villa, quienes piensan como usted son los típicos individuos capaces de secuestrar o matar por dinero, los que acomodan las leyes a su conveniencia, los que mienten o deforman la verdad para justificar sus perversiones, los que aseguran que el fin justifica los medios y usan medios deshonrosos para obtener sus fines. Lo siento, señor Villa, pero la moral es única. No puede acomodarse a las conveniencias de nadie. Es inmutable y atemporal. Funcionaba hace tres mil años, cuando Moisés recibió unas tablas en el monte Sinaí, y funcionará dentro de tres mil años cuando el ser humano viva en las galaxias. El verdadero hombre lo sabe, por eso respeta a las mujeres; no usa esa actitud de seductor barato para manipularlas y tampoco se refiere a ellas de manera despectiva.

—¿Despectiva? Sólo estábamos siendo sinceros.

—¡Claro! Y la sinceridad, para usted, es su mejor forma de ser despectivo, porque sinceramente cree las patrañas que dice.

—Oiga, señora. No me insulte. ¿Cuándo fue la última vez que usted tuvo sexo? ¿Por qué no se casa para que se les quite lo amargada? Todo el mundo sabe que a las mujeres solteras se les pone agrio el carácter. Por lo menos Denise, pobrecita, cuando yo la conocí era una joven simpática con posibilidades de un buen partido, pero ahora, mírela nada más encorsetada en un traje de abogada que no la deja ni respirar. ¡Es una solterona amargada!

Guadalupe no contestó de inmediato. Denise Ciani aprovechó la pausa para tomar la palabra. Esta vez lo hizo con una mayor vehemencia, sin preocuparse por moderar la voz.

—Señor Villa —comenzó como poniendo las cartas sobre la mesa—. Eso de que las solteras somos amargadas es otro mito machista. Quizá en el secreto de nuestro corazón anhelamos un compañero bondadoso y eso nos causa nostalgia a veces, pero no nos impide crecer, realizarnos, ser exitosas y felices. Ahora, analice esto: Hay muchas más mujeres *casadas* a quienes *sí* se les amarga el carácter, ¿y sabe por qué? ¡Porque el hombre con el que se casaron se dedica a insultarlas, denigrarlas, hacerlas sentir tontas e inútiles! El maltrato a la mujer es el crimen más numeroso sin denunciar. ¡No existe mayor crueldad en el mundo que la violencia doméstica! Las víctimas están atrapadas, sin salida, viviendo con un patán que las humilla. ¡Cuando vea una mujer casada alegre y realizada, felicite a su marido!, sin duda es un hombre que ha reconocido el valor de su esposa y la ha exaltado e impulsado a convertirse en lo que ella merece y es capaz de ser. Por otro lado cuando vea a una señora insegura o con grandes frustraciones, dígale a su esposo: ¡Arrogante, grosero y patán, te esfuerzas por mantener una imagen de éxito ante el mundo, pero en la intimidad de tu matrimonio te has empeñado en aplastar a tu esposa! ¿Crees que ella es fea? ¿Y no será que tú no la motivas a ser hermosa? ¿Piensas que es sexualmente fría? ¿Y no crees que le falte un verdadero hombre capaz de seducirla y hacerla vibrar? ¡Mírate al espejo, altanero! Eres inseguro de ti mismo y temes perder tu liderazgo. Pero el verdadero líder es amado y admirado, primero que nada por su mujer.

—Por... por lo visto —objetó el padre de Leonardo titubeando un poco—, ahora a ti te... te gustan los afeminados.

—Está equivocado —respondió Denise—. No hay nada más triste que un hombre sin hombría. ¡Es maravillosa la fortaleza masculina!, pero la verdadera virilidad no domina ni manipula a las mujeres, sino las exalta y las defiende del mal. El hombre real es un conquistador que conquista a una sola mujer, participa del progreso de ella y está a su lado en los momentos difíciles. Cuando la mujer se embaraza, él se siente embarazado. Cuando ella tiene hijos, él los ve como parte de sí; guía a su familia con decisión hacia la cima, no le tiene miedo a los retos ni a las peleas contra los enemigos, porque sabe que en el mundo abunda la depravación y está dispuesto a dar la vida si es necesario por proteger a los suyos.

Leonardo no había abierto la boca durante toda la sesión. Estuvo atento a los movimientos de su padre. Había ido a esa reunión dispuesto a aprender del gran sultán, pero sólo había captado que el jeque era un imbécil y el negocio del que vivían, era indigno y sucio. Cuando todos se levantaron para salir de la sala, Leonardo se quedó sentado por un largo rato. Las palabras de Guadalupe y Denise habían caído en su corazón como viruta de plomo.

5

REENCUENTRO

Abrió los ojos. Era notable que aunque sobre él había toneladas de cemento, hubiese quedado como encapsulado en una especie de bóveda amorfa y sobre todo que por algún sitio recóndito se filtrara la luz.

En la penumbra distinguió fragmentos de lo que había sido la silla del escritorio. Había jirones de metal y frascos hechos pedazos. Más allá papeles, varios cuadernos de espiral y algunos lápices. Dos metros adelante una especie de... ¿cueva? Entrecerró los ojos tratando de vislumbrar la hendidura que se prolongaba en la oscuridad. El llanto también había limpiado sus ojos y ahora pudo ver cómo la luz difusa que entraba desde arriba se había vuelto oblicua. Estaba atardeciendo. En un reflejo, giró el brazo para ver su muñeca sin reloj.

—¿A qué hora lo perdí?

Se arrastró con lentitud. La pierna herida le dolió, pero la jaló como un segmento de carne adherido a su cuerpo. Había infinidad de fragmentos punzocortantes en el suelo. Los palpaba con dedos temblorosos. De pronto su cabeza golpeó con una viga. Había recorrido menos de dos metros. Enceguecido por el esfuerzo, tocó todo lo que había a su alrededor. Piedras, varillas, una pared. No pudo avanzar más. La cueva se había cerrado. Estaba atrapado. Regresó despacio. Le resultaba mucho más difícil retroceder. Al llegar al lugar más amplio aflojó los músculos adoloridos.

—Papá —gritó—. ¿Dónde estás? Siempre me resolviste los problemas. ¡Sácame de esta tumba de concreto! Cuando era niño me enseñaste a jugar baseball —bajó la voz y se concentró en el polvillo mientras susurraba, como un esquizofrénico que le habla a seres diminutos e invisibles—. Después perdiste la brújula y comenzaste a andar con mujeres… ¿Por qué lo hiciste? Dejaste de acompañarme a mis partidos y yo me decepcioné tanto al ver mi familia fracturada que abandoné el deporte. Una noche me llevaste a lo que llamaste mi "estreno" como hombrecito; tú te emborrachaste y le pagaste a una mujer vulgar para que me enseñara los secretos del amor. La tipa era grosera y sucia. Pasé varias horas escuchándola hablar y dejándola hacerme cosas sexuales. A partir de esa noche mi cerebro comenzó a producir cortos circuitos. Amaba mucho a mi novia, pero deseaba abusar de ella. Veneraba a mi mamá y la despreciaba por ser tan débil. Quería a mi hermanita y la consideraba tonta e inútil. Estudié para empresario y por tratar de ser tu aprendiz todo mi mundo se descompuso. Me quitaste a mi familia, me quitaste mi moral. ¡Yo te vi meterte en cuartuchos con varias mujeres e incluso hombres para participar en orgías! Estaba cerca de ti cuando comenzaste a apestar. Decías que eras muy fuerte. ¡Papá, si lo eres sácame de aquí!

Supo de inmediato que su padre no lo salvaría, y que el recuerdo de ese hombre sólo lo hundía más.

Se irguió para recargarse de nuevo en la pared. Entonces quiso rezar, pero no le venía ninguna oración a la memoria.

Le resultaba imposible comunicarse con un Padre en el cielo, cuando el único padre que conocía en la tierra le había dado tan mal ejemplo. Entonces comprendió el bloqueo de su vida espiritual.

Un ruido lejano interrumpió sus pensamientos.

¿Eran voces?

Se quedó inmóvil.

Alguien estaba gritando a lo lejos y después, como en un macabro eco, el sonido se repitió muy cerca. ¡Del otro lado del muro en el que estaba recargado!

Aguzó el oído tratando de ubicar el lugar de donde provenía la voz. Silencio. Percibió su propia respiración agitada y los latidos de su corazón. Luego, otra vez los quejidos.

Hasta entonces no había pensado que había decenas, tal vez cientos de personas enterradas vivas igual que él. ¿Cuántos serían?

Oyó voces lejanas que al parecer también pedían auxilio, pero lo interesante era que alguien parecía contestar los llamados justo del otro lado de la pared. Haciendo acopio de fuerzas, tomó aire y gimió:

—¡Hola! ¿Me escuchan? ¿Pueden oírme?

Fue inútil. A esas alturas sus cuerdas vocales ya no vibraban y de sus labios sólo salían leves sonidos guturales.

Un pensamiento escalofriante lo alteró. ¿Podría ser que la voz detrás de los ladrillos perteneciera a...su madre?

—Mamá. ¿Eres tú?

Volvió a escuchar ruido esta vez muy cercano. Tomó una piedra y la hizo chocar contra el maltrecho muro. ¡Alguien le respondió golpeando! Su corazón aceleró.

—Mamá... Soy Leonardo. ¿Estás viva?

Volvió a golpear con la piedra en la pared.

El sonido proveniente del otro lado se repitió.

—¡Sí! ¿Me escuchas?

En un arranque de desesperación aporreó la superficie. Con asombro comprobó que el hormigón soltaba polvo y se desmoronaba un poco.

—¿Qué es esto?

Tal vez si continuaba martillando lograría hacer un hoyo. Calculó el espesor y se concentró en la tarea de descascarar el cemento para llegar al ladrillo rojo. Le tomó varios minutos. Tuvo que hacer intervalos frecuentes. El ambiente estaba mortalmente enrarecido. Si no cuidaba el poco oxígeno que le quedaba muy pronto se asfixiaría.

Trató de recuperar el aliento quedándose quieto. Aprovechó su total estatismo para aguzar los oídos.

Nada.

Sólo el sonido de sus recuerdos.

¡Apenas unos minutos atrás ese edificio estaba erguido y él golpeaba la puerta del departamento!

Eran las seis treinta de la mañana cuando bajó del taxi, subió los veinte escalones, se alació el cabello, todavía ligeramente húmedo por el reciente regaderazo. Su cuerpo se había encogido con la mezcla de alegría y angustia.

Tocó la puerta con insistencia.

—Ya voy, ya voy...—se escuchó una voz desde dentro.

Por el marco apareció la cabeza recién peinada de su madre, quien se aferró al picaporte, como si quisiera volver a cerrar.

—¿Leonardo?

—¡Sí, mamá! —era un reencuentro inefable para ambos.

Ella quedó inmóvil varios segundos, después soltó la perilla en un movimiento nervioso y abrió las manos para recibir a su hijo. Leonardo no dudó en avanzar para rodear a su madre con el abrazo más fuerte que había dado en su vida. Estuvieron así durante un largo rato mientras la mujer comenzaba a pronunciar palabras cariñosas que no se entendían.

Como una ráfaga, a Leonardo lo inundaron los recuerdos de su infancia; cuando volvía llorando a causa de un golpe o un raspón en la rodilla, su madre ponía una mano sobre la herida y sus caricias eran como bálsamo que curaba el dolor. Ella siempre fue la mujer que cuida y alivia sin palabras, pero uno se familiariza con los gestos afectuosos de los seres amados y deja de darles importancia. Ahora, al volver a encontrarla, sintió todo el peso de su pasado lleno de errores.

Después de unos instantes, se separó de ella y contempló de cerca su rostro. Se veía diferente. Había adelgazado y estaba ya vestida para irse a trabajar, pero algo en su mirada la hacía parecer extenuada. La tomó de los hombros y la alejó unos centímetros. Muchas arrugas surcaban el contorno de sus ojos cafés y delataban no sólo su edad sino cientos de angustias escondidas.

—Supe que te fuiste a Europa, Leonardo ¿por qué nunca me llamaste por teléfono ni me escribiste?

—Mamá, perdóname…

—¡Para ti es fácil decir eso, pero no sabes cómo nos hiciste falta!

—Tuve que huir. Si me hubiera quedado estaría en la cárcel. Por mi culpa murió un hombre. ¿Ya no te acuerdas?

—La policía nunca te persiguió. No se levantaron cargos en tu contra.

Se quedó impávido. Eso era imposible. ¿Así que huyó sin razón? Se talló las mejillas y susurró:

—¿Cuánto dinero dio mi papá?

—No lo sé.

Movió la cabeza.

—En realidad yo no tuve la culpa de ese asesinato. Fue algo… circunstancial.

—Sí... Igual que tu boda y tu divorcio.

—¿Quién te contó?

—Las noticias corren.

—Me casé, pero no me divorcié. Sólo me separé de mi esposa. Mejor dicho, ella se separó de mí.

—¿Por qué no me hiciste partícipe de nada?

—Perdóname, te repito. ¡Ya regresé! Estoy muy mal, pero quiero recuperar el tiempo perdido contigo y con mi hermana... Tal vez todavía podamos rehacer nuestra familia... Y, en su momento, quiero conversar con papá. Le diré cuanto daño me hizo su ejemplo y su conducta.

—Tranquilízate, hijo. Entra. Encontrarás cosas nuevas en este lugar. Tu padre ya no vive aquí y tu hermana... —Carraspeó para mantenerse ecuánime—, se puede decir que tampoco...

Leonardo sintió un vacío estomacal. ¿Entonces había viajado tantas horas para encontrarse con una familia inexistente?

—Pasa, por favor. Estás en tu casa...

6

TRES PRINCIPIOS DE CONQUISTA

—¿Papá se fue?

—Sí.

—Era de esperarse... Muchas veces te amenazó con eso.

—Pasa, por favor, hijo. ¿Ya te desayunaste?

—Si, gracias.

Caminaron hacia adentro. Leonardo cerró la puerta del departamento.

—¿Te preparo un juguito de naranja, aunque sea? Ven —fue hacia la cocina; su hijo la siguió—, la fruta está muy fresca.

—No hace falta, mamá. Me desayuné bien.

—Siéntate y no protestes.

Leonardo obedeció con un nudo en la garganta. ¡Cómo amaba a esa mujer! Siempre tan dispuesta a alimentar, dar consejos, y brindar amor a su familia. Si su padre se había ido no era porque le faltara cuidado de su esposa, sino porque le faltaban pantalones y le sobraba testosterona.

—Qué bonita te has puesto, mamá.

—Sólo me arreglo mejor.

—No andarás coqueteando en el trabajo con otro hombre, ¿o sí?

—Por supuesto que no. Yo soy una mujer casada. Tengo muchas cosas en contra de tu padre, pero he comprendido que él mismo es esclavo de conductas perversas y debe ser liberado.

—¿Sigues perteneciendo al grupo *Mujeres de conquista*?

—Sí. Colaboro directamente con Guadalupe Ferro. La ayudo en todo. ¿Sabías que hace muchos años ella sufrió algo parecido a lo que me pasa a mí? Su esposo era alcohólico. La dejó y se fue con una amante, pero Guadalupe aplicó los tres principios para conquistar y logró que su marido volviera, transformado. Ahora él es un hombre distinto. Dejó el alcohol, se hizo un gran empresario y apoyó a su esposa para que fundara la asociación. Él es quien financia todos los gastos del grupo.

Terminó de estrujar las naranjas con el exprimidor manual y procedió a colar el zumo en un vaso de cristal; se lo sirvió a su hijo.

—Toma. Te va a caer bien.

—¿Y ahora tú aplicas los "tres principios" para reconquistar a mi padre?

—Sí. Aunque no es fácil. Sobre todo porque últimamente han pasado cosas terribles. Estoy luchando por mantenerme en pie.

—¿Qué ha pasado?

Ella prosiguió con su discurso ignorando la pregunta de Leonardo.

—Los tres principios tienen como común denominador *la inteligencia*. El primero, "agresividad inteligente", bueno, su nombre lo dice, aunque a mí me es difícil aplicarlo porque cuando me siento más inteligente, no soy muy agresiva y cuando soy agresiva lo hago con poca inteligencia. El segundo principio, "fe vivencial" también requiere mucha inteligencia, sobre todo para llevar a un nivel de vivencia diaria algo relacionado con nuestros sueños, y por último el principio de "amor dirigido" necesita mucho cálculo racional, porque las mujeres solemos amar de forma difusa y torpe. Por ejemplo, la mamá de una mujer casada que sigue controlando o consintiendo a su hija, o la madre que hace la tarea de su pequeño y lo priva de aprender y madurar con tal de que obtenga buenas calificaciones, o la mujer humillada a diario por su esposo que vive justificándolo o defendiéndolo. Todos esos son ejemplos de amor difuso y torpe. No obedecen al tercer principio.

Leonardo observó a su madre sin hablar. Aunque estaba cambiando el tema de la charla, ya no se le veía nerviosa, retorciéndose los dedos y mirando hacia el suelo, como antaño. Ella sacó una sandía del refrigerador, la picó en trozos, le puso limón y sal. Se la sirvió a Leonardo. En otros aspectos, seguía igual.

—Mamá, no quiero, gracias.

—Come un poquito. Si no te gusta la dejas.

Movió la cabeza sonriendo.

—Te extrañé mucho.

Ella titubeó un poco por primera vez y agachó la vista parpadeando.

—Hijo, desde que te fuiste han pasado tantas cosas… El segundo principio, "fe vivencial", es lo que me ha mantenido viva y luchando. He imaginado con todo detalle que los negocios malos de tu padre se vendrán abajo y un día él repudiará a la prostituta con la que vive, sentirá asco de sí mismo y culpa por todo el mal que ha hecho; se quebrantará y volverá a mi lado, transformado.

—Ay, mamá. Me parece que al imaginar eso sólo alimentas el deseo de venganza.

—No. Yo no deseo vengarme. Mira, hijo. Todas las mañanas me despierto muy temprano y tengo un tiempo de meditación: visualizo a tu padre de rodillas en un cuarto, llorando y pidiendo perdón a Dios; lo imagino levantándose para comenzar a hacer el bien y regresando a casa. He escrito una descripción exacta de la escena, y la repaso todos los días. Luego tengo un tiempo muy fuerte de oración y clamo por que las cosas sucedan así.

—¿Clamas? O sea que... ¿gritas?

—Sí, a veces ¿por qué no? Después leo la Palabra y escucho cómo Dios me habla.

—Mamá, con todo respeto, yo entiendo que pidas cosas, pero no puedo aceptar que Dios te hable. Si existe, te aseguro que nadie posee una línea de teléfono directa con él.

—Leonardo, Dios es el Verbo. ¿Entiendes eso? Es la Palabra.* Nadie puede ver ni tocar las palabras porque son pensamientos que expresan acciones y conceptos. Los pensamientos tampoco pueden verse... pero se perciben. Cuando meditas y buscas al Ser Supremo con humildad, se producen pensamientos en tu mente que *antes* no tenías. Eso es lo que llamamos "escuchar su voz". Postrado ante él y leyendo las Escrituras puedes oírlo en la mente e interpretarlo con tu idioma.

—No lo sé...

—Sí, hijo. Para algunos hombres la "fe vivencial" suena a religiosidad, por eso, es un regalo que pocos abren, pero la mayoría de las mujeres, tenemos un sexto sentido, una intuición espiritual innata que nos hace más sensibles a ello.

Leonardo suspiró.

—Esos conceptos me despiertan emociones intensas...

—¿Té hacen recordar a...?

—Sí.

—Denise es como una hija para mí...

Después de un silencio, miró el reloj; ya eran las siete de la mañana.

—¿Se te hizo tarde?

—Sí. Voy a llamar a la oficina —se puso de pie—. Ahora vuelvo.

Él asintió. Aunque creía no tener hambre, mientras su mamá hablaba por teléfono comenzó a comer la sandía sin darse cuenta; estaba dulce y crujiente, pero demasiado fría; poco a poco se acostumbró.

Recordó cuando salió con su padre de aquella junta en la oficina del inspector de licencias.

—¿Por qué no dijiste nada, Leonardo? —su papá lo regañó—. Parecías como apantallado por las dos brujas.

—Bueno... Tú también te veías asombrado. No es común que las mujeres muestren tal fortaleza y seguridad. Además en ciertas cosas ellas tenían razón.

—¿Cómo dices? ¡Esas hechiceras son unas estúpidas!

—A mí me parecieron inteligentes.

—Lo que pasa es que sigues enamorado de la tal Denise. ¿Pero ya te diste cuenta en lo que se ha convertido? ¡Es una alborotadora feminista! Sólo porque estudió abogacía se cree superior a todos.

—Estaba cumpliendo con su trabajo.

—No seas animal. Despierta. La tipa está ardida porque la dejaste y ahora quiere desquitarse. ¡Por eso nos está fastidiando! No me digas que casualmente la contrataron en un grupo de locas que están empeñadas en cerrar nuestro negocio. Ella lo planeó todo. Date cuenta.

—¿Y con qué objeto?

—Los fiscales le llamarían a eso venganza pasional. Tu exnovia es una demente peligrosa.

—No sé…

—¿No sabes, qué? ¡Aunque tengas veinticinco años todavía te chupas el dedo! Si sigues así jamás lograrás hacer nada bueno en tu vida. Tu destino es fracasar; naciste bestia y morirás animal… —Leonardo agachó la cara—. ¿Te molesta oírme hablar así? ¡Entonces demuéstrame que eres hombrecito! A partir de mañana vas a trabajar como nunca lo has hecho. ¡Haz que entre más plata al negocio y olvídate de esa arpía!

Leonardo asintió. Le tenía demasiado miedo a su padre como para seguir confrontándolo.

Subieron al auto y después de un rato se atrevió a preguntar:

—¿Y tú qué vas a hacer respecto a la denuncia contra el negocio?

—No te preocupes. Sé mi cuento.

—Mmmh. No pretendes mandar a golpear a nadie, ¿verdad?

—¿Cómo adivinaste?

—Papá, te conozco. En el antro tienes a cuatro gorilas encargados de la seguridad que has usado para asustar gente.

—Muy bien. Ahora sí estás razonando. ¡A tu amiga no le vendría mal una advertencia para que deje de andarse con jueguitos!

—¿Cómo dices?

—Cuando camine por la calle puede encontrarse con unos ladrones —dijo—, o violadores. ¿Tú qué opinas? Eso la calmará. Es más. Se me está ocurriendo algo. Si anda tan fogosa contigo, ¿por qué no vas tú también a darle su medicina? Puedes ponerte una malla en la cabeza. Nunca te reconocerá.

—¿Qué rayos dices?

—Sólo pensaba en voz alta.

—Estás loco…

—¿Cómo?

Leonardo guardó silencio y después murmuró con verdadero coraje:

—Nunca he protestado por tus suciedades, papá. Pero te advierto una cosa. Si le pasa algo a Denise te las vas a ver conmigo.

—¿Me estás amenazando, marica de porquería?

—Yo siempre he sido sumiso y callado, pero siento en mi interior como un volcán que hierve y está a punto de explotar.

El señor Villa soltó una carcajada.

—¿Ahora eres poeta? ¡Es lo único que me faltaba! ¿Por qué no me recitas "Hombres necios" de Sor Juana?

Leonardo apretó los puños. Cuando bajó del auto fue a encerrarse en su despacho y golpeó la pared varias veces hasta que se sangró los nudillos.

[illegible]

[illegible]

[illegible] interesado en carros y autos [illegible], perdió el romanticismo y ofendió a Denise. Entonces terminaron.

Ahora se topaba de nuevo con ella y la encontraba cambiada, hecha toda una abogada.

No podía apartarla de su cabeza. Era como si una vieja flama latente en su corazón se hubiese encendido de nuevo y lo quemara.

Cierta tarde, mientras revisaba los libros de contabilidad, tuvo un ataque de angustia. Miró el reloj. Las manecillas de

7

LA AMENAZA

Siempre había querido a Denise. La conoció en el bachillerato. Como él era un poco lento en las materias y ella la más brillante del grupo, tuvo que hacer muchas locuras para llamar su atención. Cuando Denise aceptó ser su novia y se besaron por primera vez, ambos tenían dieciséis años de edad; fue el primer amor de los dos; juntos hicieron una relación intensa y hermosa... Ella fue muchas veces a la casa de los Villa. Se hizo amiga de Aisha y de su mamá, pero después de algunos años Leonardo comenzó a cambiar. Se volvió morboso, mujeriego, interesado en carros y música estridente, perdió el romanticismo y ofendió a Denise. Entonces terminaron.

Ahora se topaba de nuevo con ella y la encontraba, cambiada, hecha toda una abogada.

No podía apartarla de su cabeza. Era como si una vieja flama latente en su corazón se hubiese encendido de nuevo y lo quemara.

Cierta tarde, mientras revisaba los libros de contabilidad, tuvo un ataque de angustia. Miró el reloj. Los guardias de seguridad debían presentarse a trabajar a las seis y ya eran las seis y media. ¿A todos se les había hecho tarde?

Buscó en su cartera las tarjetas de Denise y Guadalupe. Ambas tenían el mismo número telefónico. Había estado tentado a marcarlo varias veces. Al fin lo hizo.

El timbre del teléfono sonó. Seguramente ya era demasiado tarde para hallarlas en su oficina. Estaba a punto de colgar cuando contestó una secretaria.

—Mujeres de conquista.

—Buenas tardes —saludó—, ¿me puede comunicar con Denise Ciani?

—La licenciada está impartiendo una charla. No puede contestar.

—¿Entonces puedo hablar con la señora Ferro?

—También está ocupada.

—Voy a ir para allá a ver si alguna puede recibirme.

—No lo creo. Tiene que hacer cita.

—Gracias.

Contempló unos segundos la cartulina con el domicilio impreso y después se apresuró a salir. Cuando lo hizo vio que los cuatro guardias estaban debajo de la escalera jugando rayuela. Sintió un gran alivio. Ya no había urgencia. Tenía dos opciones: posponer la visita para otro día... o dejar de ser un cobarde y atreverse a salir de su rutina dañina.

Se decidió.

No le costó trabajo hallar el lugar. Se hallaba en una avenida céntrica. Muchos automóviles estaban afuera y se veía un gran movimiento en lo que más que oficinas parecía una escuela. Decenas de personas salían del inmueble, charlando.

Leonardo entró a la recepción y casi se topó de frente con Guadalupe Ferro.

—Buenas tardes. O noches, ya. Creo. Soy Leonardo Villa...

—Sí —dijo la elegante mujer sin disimular su asombro—. Lo recuerdo. ¿En qué puedo servirle?

—Necesito hablar con usted.

—Adelante.

—A solas.

Ella movió la cabeza de forma negativa.

—Dígame qué se le ofrece.

Era natural que la directora de la asociación tuviera desconfianza. Leonardo asintió. Las dos secretarias escucharían todo. No importaba.

—¿Está usted enterada que Denise y yo fuimos novios?

—Sí.

—Nuestro noviazgo fue muy fuerte. Yo no he podido olvidarlo y no creo que ella lo haya hecho. Pero terminamos porque mi padre puso un *table dance* y Denise no soportó que yo trabajara ahí. Así que todo este asunto de la denuncia contra nuestro negocio puede estar contaminado con desquite pasional de su abogada. Es algo muy grave que cualquier juez va a detectar y a revertir en contra de ustedes.

Guadalupe se mostró serena, pero un ligero temblor en su párpado hizo detectar a Leonardo que la directora del centro no conocía todos esos detalles.

—¿Vino hasta aquí sólo para decirme eso?

—No. Lo hice porque estoy preocupado. Mi papá conoce bien a Denise, y el asunto ha provocado en él una reacción igualmente peligrosa y pasional. Esto puede acabar mal. Mi padre es un hombre impulsivo.

—¿Me está amenazando?

—Señora Guadalupe. Existe una amenaza pero no mía. Yo mismo vivo amenazado. Usted me vio hace varios días en la junta con el director de licencias. Se dio cuenta que no hablé durante la discusión. ¿Sabe por qué? Porque tengo miedo.

No me ha pasado nada, pero veo tantas cosas malas a mi alrededor: Droga, prostitución, homosexualidad, corrupción de funcionarios públicos y cuentas pendientes de cobro, que me siento como caminando en un campo minado. En cualquier momento puede ocurrir una tragedia.

—¿Qué sugiere?

—Retire los cargos en contra de mi padre y hagamos otra estrategia.

—¿Hagamos?

—Sí. Quiero ayudarle.

Las últimas personas salieron de la sala en la que había culminado una charla y se despidieron de la directora.

—¿Cómo?

—Yo no comulgo con lo que hacemos en el negocio de mi papá; tampoco pienso dedicarme a lo mismo. Sé que ese bar nos da de comer, pero al mismo tiempo ofende a mi mamá y a mi hermana. Desde que las oí hablar a usted y a Denise he pensado en eso... Yo tengo muchos defectos y cosas malas, pero las virtudes, que también tengo, las aprendí de mi madre. Estoy en deuda con ella. Por eso vine. Sé que si cierran el negocio, nos veremos en aprietos para subsistir, pero también sé que me quitaré la sensación de pestilencia.

En ese instante, Denise apareció. Tenía el rostro sonrosado y ligeramente húmedo, como si acabara de trotar media hora. Vestía traje sastre y llevaba el cabello suelto. Se sobresaltó al ver a Leonardo. Él también se turbó de manera notoria.

Guadalupe la llamó.

—Ven, Denise. Quiero que escuches esto.

Él la saludó extendiéndole la mano.

—Hola.

Ella asintió sin emitir palabra, correspondiendo con un apretón parco. Leonardo se giró para ver a la señora Ferro.

—¿Ahora sí podemos hablar en privado?

Guadalupe afirmó con la cabeza.

—Adelante. Pasen a mi oficina.

—Después de usted.

Ella caminó por delante. Denise y Leonardo la siguieron. Se sentaron alrededor del escritorio. Guadalupe recapituló los pormenores de la charla que acababan de tener incluyendo lo de la amenaza latente y le preguntó a Denise si ella había actuado con algún interés de desagravio sentimental en el caso legal.

Leonardo estuvo seguro de que ella contestaría con absoluta seguridad que no, que todo había sido fortuito, que el asunto de ese negocio como el de muchos otros se le había asignado sin que ella lo solicitara, pero se equivocó en sus predicciones. Denise no dudó al contestar todo lo contrario con un monosílabo:

—Sí.

—¿Cómo?

—Cuando supe del programa contra los prostíbulos promovido por este grupo, quise participar. En el fondo sentía el deseo de quitarle fuerza en especial *a uno* de esos centros de inmundicia, y poder revertir un poco el daño que nos hizo a mí y a Leonardo...

—Vaya... Al menos eres sincera.

Él aprovechó para salir en su defensa.

—Entiendo a Denise y no la culpo. Yo hubiera hecho lo mismo.

Las palabras quedaron suspendidas en una tregua sin cauce. Nadie supo qué decir. Al fin, Guadalupe se atrevió:

—Leonardo, la posición de usted es bastante inverosímil. ¿Cómo podemos saber si se está acercando a nosotras con sinceridad?

—Le voy a abrir mi corazón —dijo mirándola de frente—, yo me he sentido un hombre miserable desde que comencé a trabajar con mi papá en ese antro... Tuve una etapa de confusión en la que perdí mis valores más grandes, deslumbrado por el dinero y las mujeres fáciles. Tal vez es demasiado tarde para recuperar algunas cosas, pero no otras. Lo que ustedes dijeron en aquella junta con el jefe de licencias me hizo reflexionar. Mi hermana, Aisha es muy tímida, y cuando veo a las bailarinas desnudarse he pensado que ella podría llegar a hacer lo mismo; entonces me levanto de la silla lleno de coraje. Señora Guadalupe, quiero ayudarles para que mi papá quite ese tugurio y las chicas encuentren una mejor forma de vida, pero debemos hacerlo con táctica. ¡No se pongan a pelear contra él porque es capaz de todo! Yo sé lo que les digo.

Guadalupe asintió. Después comentó:

—De acuerdo. Leonardo. Es inaudito lo que me está diciendo, pero le voy a creer. ¿Sabe por qué? Porque nuestra organización no fue hecha para promover litigios y demandas. El enfoque de la mujer no debe ser pelear contra los hombres, sino hacerlos reaccionar para que reconozcan lo importante que son las relaciones sanas.

—¿De verdad por eso ha fundado esta organización? —preguntó él con legítima curiosidad.

—Sí. Aunque tenemos que partir de hechos claros: Según informes de la ONU, las mujeres conformamos aproximadamente el 55% de la población mundial, pero hacemos dos terceras partes del trabajo; ganamos una décima parte de las utilidades obtenidas y somos dueñas de apenas el 1% de la propiedad total del mundo. Los hombres, en cambio, poseen la mayor parte del dinero, las empresas y los bienes inmuebles del planeta... Tienen el poder porque su interés está en ello, mientras que las mujeres deseamos sobre todo fuertes relaciones afectivas; cuando perdemos un lazo de cariño con alguien importante, a veces sentimos que se daña la totalidad de nuestro ser. ¡Hombres y mujeres solemos tener diferente enfoque en la vida y por eso logramos diferentes resultados! En el mundo actual los hombres siguen logrando sus metas mientras las mujeres estamos como dormidas. Por eso no me molesta que Denise haya enfocado su energía y capacidad para resarcir un daño emocional, promoviendo el bien. Muchos hombres gritan, golpean, se desentienden de sus hijos, se dedican a ganar dinero, usan la excusa de una lascivia insaciable y manipulan a otros con gran impiedad, mientras nosotras, en términos colectivos hemos sido oprimidas y los resultados que tenemos en recuperar nuestras familias, hijos y países para las relaciones afectivas sanas y el amor, son muy pobres. ¡La mujer debe despertar! Ha llegado el momento.

Leonardo estaba abstraído. Él nunca se pervirtió del todo, pero como en parte sí lo hizo, deseaba cambiar y no sabía la manera; tenía deseos de ayudar a las empleadas del bar y tampoco tenía un plan de acción.

—¿Ustedes capacitan a las mujeres?

—Sí. Damos cursos sobre tres principios para despertar.

—Pues yo quisiera que me ayudaran a "despertar" a mi madre y a mi hermana, en primer lugar. Ellas están, como usted dijo, demasiado disminuidas. Denise, sé que no soy nadie para referirme a tiempos pasados, pero si te queda una pizca de afecto por Aisha y mi mamá, llámales. Conoces el número telefónico de la casa. Ellas siempre te admiraron y se sentirán muy motivadas a hacer lo que tú les digas. Compárteles lo que has aprendido.

La joven asintió.

—Lo haré.

8

¿QUIÉN ESTÁ AHÍ?

Su madre volvió de la sala y le preguntó:

—¿Verdad que sí tenías hambre, hijo? ¿Te sirvo más sandía o quieres unos huevitos?

—No, mamá. Gracias, de veras. Estaba recordando a Denise.

—Es una lástima que se fuera contigo —suspiró la mujer—. Es decir, que tú fueras con ella… Me… me entiendes…

—Sí. Ella hizo más falta en esta casa que yo.

—¡No!

—Ya lo dijiste, mamá. Déjalo así.

La mujer se derrumbó en una silla de la cocina y su rostro se contrajo.

—Tu hermana no confiaba en nadie. Ni en mí, ni en Guadalupe. Sólo en Denise…

—¿Le pasó algo a Aisha?

—Sí. Hubo un accidente…

—¿Cómo?

—Cuando tú y Denise se fueron, Aisha y yo los buscamos durante mucho tiempo.

La mujer se detuvo. Leonardo giró la cabeza y vio la recámara de su hermana, cerrada.

—Hace rato me dijiste que Aisha "de alguna forma" también se había ido. ¿A qué te referías?

Como su madre no habló rápido, él se puso de pie y caminó. Entreabrió con cuidado la puerta del cuarto y observó la oscuridad de una habitación en la que el morador aún duerme. ¡Aisha estaba acostada boca abajo! Su cuerpo se veía demasiado delgado y tenía el cabello más largo de lo que siempre lo usó. Volvió a cerrar despacio para no despertarla.

—¡Ella está ahí! ¿No va a ir a la escuela? ¿Dejó de estudiar?

—Leonardo. Siéntate.

—Mamá, me asustas. ¿Qué rayos pasó?

La mujer perdió el equilibrio y regresó a su antiguo estilo de estrecharse las manos con fuerza.

—Tu papá siempre tuvo dos personalidades. En casa aparentaba ser un hombre íntegro, un empresario elegante, pero en la calle, cerca de sus amigos era un calavera. Tu hermana lo admiraba. Nadie le había dicho a qué se dedicaba él. Un día lo descubrió.

—Mamá, ya dime qué pasó. ¿Aisha sufrió algún daño físico o psicológico?

—Ambos.

La palabra resonó en la cocina, como si se hubieran asentado en el aire enrareciendo el ambiente.

—¿Por qué está en la cama? ¿Puede caminar?

La mujer se tapó la cara con ambas manos y comenzó a llorar.

Leonardo dirigió de nuevo la vista hacia la recámara de Aisha. Detrás de esa puerta seguía dormida.

—Voy a verla —se levantó; su madre lo alcanzó y lo detuvo.

—¡No! ¡Espera! ¡Antes tengo que explicarte...!

Pero Leonardo se zafó con un movimiento suave y caminó por el pasillo. Se detuvo al ver de reojo su propio cuarto. ¡La habitación en la que creció! Estaba abierta. Entró despacio a contemplar el sitio en el que había dormido toda su vida antes de irse a España.

—Es increíble —susurró—, todo está como lo dejé.

A la derecha, el escritorio donde había pasado horas enteras en sus épocas de estudiante; enfrente, la cama con su colcha favorita, a un lado el buró sobre el que descansaba una lámpara de noche. En el clóset todavía su ropa colgada. Se acercó y tocó con la mano una camisa que sobresalía del resto. Todo se hallaba en su sitio, como si dentro de ese cuarto no hubieran transcurrido cuatro años. Incluso el olor le parecía familiar. Se volvió a mirar a su madre, que estaba recargada en el marco.

—Dejé todo así… con la esperanza de que regresaras en cualquier momento…

—Ya volví, mamá.

—Es demasiado tarde.

—No digas eso.

De pronto, sintió un mareo. Se movió como un borracho a punto de caer. ¡Qué raro! Tal vez el cansancio del viaje y todas las emociones acumuladas en tan pocas horas comenzaban a hacer efecto en su organismo. Pero el mareo persistió. Tuvo deseos de acercarse a la cama para sentarse un momento cuando se dio cuenta que su mamá también se tambaleaba.

En ese instante sintió un estremecimiento, y escuchó el extraño sonido de las paredes rechinando. Después cristales rompiéndose. Al ver el rostro aterrado de su madre, comprendió que algo grave sucedía. El edificio se estaba moviendo.

Leonardo recomenzó el procedimiento de frotar en la pared.

Le tomó mucho tiempo llegar al ladrillo, pero cuando lo

hizo, se dio cuenta que era más efectivo raspar que golpear. Buscó una piedra puntiaguda y prosiguió. Después de un rato se detuvo.

—Es inútil —dijo—, esto me tomará muchas horas y me robará las pocas energías que me quedan.

Entonces decidió explorar el muro para tratar de hallar alguna grieta. Se movió despacio porque la pierna fracturada había vuelto a despertar de su anestesia natural y le dolía en grado superlativo.

Arrastrándose, tropezó con los utensilios de papelería que había detectado cuando quiso explorar la falsa cueva. Siguió palpando. Al fin, a diez centímetros del suelo encontró una rajadura; el hormigón había cedido y los ladrillos estaban rotos. Si rascaba ahí sería más fácil hacer un agujero. Tocó el suelo y consiguió un lápiz. Lo insertó en la grieta para atravesarlo del otro lado. No pudo creer lo que vio. ¡Alguien tomó la punta opuesta y jaló el lápiz hasta hacerlo desaparecer de su vista!

—¡Oh! ¡Oh! —dijo al momento en que buscaba la piedra filosa y se dedicaba a rascar.

El suelo vibró otra vez. De forma paulatina una lluvia de polvo y tierra cayó sobre su cabeza. Comenzó a toser. Escuchó más gritos de dolor. Entre llanto de rabia e impotencia farfulló:

—¿Cuándo va a acabar esto? ¿Cuánto tiempo más podré soportar?

Los siniestros rechinidos continuaban y el polvo no cesaba. Se sacudió con violencia. No sabía si cerrar los ojos o esperar a que todo se desplomara sobre él. Aterrado, vio a su izquierda la red de hierros retorcidos que cedía unos centímetros amenazando con aplastarlo. Ahora bastaba estirar un poco la mano para tocar las vigas que lo habían protegido.

Los gritos de angustia lejanos se acrecentaron. Parecían provenir de todas partes. Oír eso era insoportable. Se tapó los oídos con las palmas. Cuando la vibración se detuvo, cesaron también las voces. ¿Estarían muertos o sólo expectantes como él? No quiso torturarse, porque la pregunta lo llevaría a plantearse la suerte que le esperaba. Si el desplome había matado a los sobrevivientes, sólo era cuestión de tiempo para que le sucediera lo mismo...

Regresó al agujero que estaba haciendo. Para su sorpresa alguien del otro lado friccionaba la zona como ayudándole a agrandar el hoyo. Se apresuró.

¡Al fin, logró hacer un orificio como de cinco centímetros! Se acercó a él y habló directamente.

—¿Quién está ahí? —no recibió respuesta, se limpió la cara y volvió a intentarlo—. ¿Alguien me escucha? ¡Mamá, si eres tú, si estás viva, dímelo!

Recibió una contestación entre gemidos con voz pastosa y ronca.

—Yo no tengo hijos.

—¿Cómo te llamas?

—No... sé, pero lo que sí sé es que no tengo hijos.

Se desesperó.

—Yo me llamo Leonardo Villa. Viví en estos departamentos durante años. Después me fui a otro país. Acabo de regresar. De niño me decían el Choby. ¿Me conoces? Haz memoria.

La persona del otro lado tosió y lanzó un grito entre angustioso y alegre. Era una mujer.

—¿Leo... Leonardo? ¡Leonardo! ¿Qué haces aquí? ¡Dios mío! ¡Leonardo!

Su cuerpo maltrecho se estremeció.

¿Cómo no lo pensó? ¡Cuando el edificio se vino abajo, muchas estructuras se resquebrajaron, pero algunas quedaron en pie! Esa pared... era la misma que estaba a su lado justo antes del temblor. La que separaba su vieja habitación de...

—¡Aisha! —se acercó al boquete—, ¡soy yo, tu hermano! —las lágrimas de emoción le impidieron hablar con soltura.

Del otro lado se oyó un llanto agudo mezclado con risas y gemidos de dolor. ¡Era ella! ¡Podía reconocer su voz entre miles! ¡Así lloraba! ¿Cómo no se le había ocurrido?

Empezó de nuevo a golpear para remover un pedazo de ladrillo que había cedido. Estaba flojo, así que no le costó ningún esfuerzo quitarlo, pero el espacio era insuficiente para meter la mano. Los ojos le ardían y casi no podía respirar. Esperó unos instantes. Tenía que intentar remover más bloques. No quiso arriesgarse a usar otra vez la piedra, así que, tanteando, comenzó a raspar los bordes del ladrillo superior. Cerró los ojos y dio un tirón. No se produjo ningún derrumbe. Ahora sí. El hueco se había hecho más grande, pero después de echar una ojeada se dio cuenta de que seguía sin poder ver a nadie del otro lado. Metió la mano. El espacio le permitió introducir el brazo hasta el hombro. Tanteó a ciegas en el aire. De pronto, sintió otra mano que lo agarraba con desesperación.

La sorpresa lo dejó paralizado. Un estremecimiento recorrió su piel. Apretó y sintió los dedos pequeños de su hermana.

—Hola —dijo ella con voz afónica después de un silencio interminable.

Aquello no era una alucinación.

—¿Cómo estás?

—Mal. Siento como destellos en la mente. ¿Qué nos pasó?

—Hubo un terremoto. Tengo una pierna fracturada.

—Ah...

La esperanza renació en el corazón de Leonardo. Lucharía para ayudar a Aisha. Su corazón desbordaba de amor. Si era necesario, se sacrificaría por ella.

—¿Qué haces aquí, Leonardo?

—Vine a verte. Regresé anoche. Dormí en un hotel... Estaba con mamá... cuando empezó el temblor.

—¿Y ella?
—No sé… —se mordió los labios agrietados—. Tal vez pudo escapar.
—¿Tal vez?
—La perdí de vista. Esto es una locura. Vine aquí porque quería reconstruir mi vida y mira nada más. Lo poco que estaba en pie se vino abajo.
—¿Querías reconstruir…?
—Sí. ¡Mi existencia ha sido un desastre! Maté a un hombre y huí del país. Te abandoné ¡sin despedirme, siquiera! Me casé con la mujer más extraordinaria del planeta y la maltraté, le fui infiel y lo eché todo a perder. Soy un inútil. No sirvo para nada y ahora estoy enterrado vivo en esta tumba de concreto… Hermanita. Perdóname. Al menos tengo la oportunidad de hablar contigo.
—Sí…
La mano de Aisha comenzó a temblar.
—¿Estás bien?
—No.
—¿Puedes moverte?
—No.
Calló un momento. Le dolía la garganta. Sintió que los dedos de su hermana perdían fuerza.
—¿Me escuchas?
Otra vez el terrible silencio. Con mucho cuidado, sacudió su mano.
—Aisha, por favor, no te duermas. Pon atención.
Percibió una ligera presión, luego los dedos volvieron a convulsionarse. Ella habló en susurros.
—¿Qué quieres que haga?
—Dime cómo están las cosas a tu alrededor.
Deseaba mantenerla despierta a como diera lugar. Su palma

estaba fría y la acarició para trasmitirle un poco de calor. Ella le respondió con lentitud:

—Se incendió este bosque. Tengo un árbol sobre el cuerpo. Me está aplastando. Sólo puedo mover los brazos.

—¡No! No estás en un bosque. Estás debajo de los escombros de un edificio derrumbado. Debes tener una piedra encima. Trata de moverla. ¡Inténtalo!

—¿Una piedra?

—Sí.

Ella se soltó de la mano, gimió y lanzó un grito de dolor. Él cerró los ojos. Sintió el deseo de empujar la pared con los hombros para poder llegar al otro lado, pero sabía que era inútil.

—No puedo... —estaba afónica por completo—. Me duelen las costillas. Por favor, Leonardo, ayúdame con este árbol. Las ramas me cayeron en la cabeza... Estoy descalabrada. Me está saliendo mucha sangre y hace frío.

Entonces él supo que su hermana, además de la razón, quizá estaba a punto de perder el conocimiento.

9

DIÁLOGO ESCRITO

Todos los nervios vitales de la ciudad habían sido tocados. Grúas, patrullas y carros de bomberos circulaban con la sirena abierta eludiendo a la gente que seguía sin entender cómo se había quedado sin hogar y sin cobijo. Muchos deambulaban de aquí para allá, en un macabro desfile, buscando a sus familiares en los hospitales o en las listas de desaparecidos. Reporteros recorrían las calles para captar información de primera mano. Las imágenes en las televisiones de todo el mundo mostraban escenas que parecían extraídas de un sitio en guerra. El ejército, la Cruz Roja y los cuerpos de rescate oficiales eran insuficientes para atender las demandas de ayuda. El desastre había tomado dimensiones descomunales. Ante la impotencia de las autoridades y luchando contra el tiempo, miles de personas se coordinaban para ayudar a los heridos y remover escombros. En pocas horas se crearon cadenas humanas por todas partes con gente trabajando, pasándose piedras de mano en mano. De la nada comenzaron a surgir cercos de ayuda en los que se preparaban comidas gratuitas y se hacía acopio de agua potable, ropa y medicinas. La asistencia fluía de todas partes y, sin saber cómo, todos se organizaban de forma espontánea. Las cosas más esenciales cobraban de pronto una importancia trascendental. Sin embargo, no era fácil imaginar el infierno que estaban pasando los que habían quedado atrapados.

—¡Aisha! —dijo Leonardo—. Cierra los ojos y trata de calmarte. No estás en un bosque sino en un edificio derrumbado, ¿entiendes? Lo que tienes encima no es un árbol, es una piedra.

—Ah.

—Apóyate de mi mano y trata de liberarte.

Ella obedeció. Leonardo sintió el tirón y escuchó un segundo alarido de dolor.

—Ya. Pude moverme un poco. Ya estoy mejor.

—Respira despacio y relájate.

Cuando volvió a sentir su contacto, notó que tenía los dedos húmedos.

—Leonardo, me está escurriendo sangre por la frente. ¡Mucha!

—Espera, no te muevas.

Sacó la mano y miró a su alrededor tratando de localizar algo que pudiera pasarle por el hueco para detener la hemorragia. Se arrastró hasta donde había estado antes. Alcanzaba a ver el colchón, pero no podía llegar a él. Volteando desesperado de una lado a otro, buscó entre los despojos algo que pudiera ser útil. Había cuadernos. Tomó uno de ellos y después lo arrojó. El papel no sería útil. Regresó al agujero y preguntó:

—¿Puedes ver si hay una tela?

—Tela sí. Hay mucha tela.

—Deben ser las sábanas. ¿Tienes almohada?

—Sí.

—Trata de quitarle la funda.

Los gemidos de su hermana al realizar la operación le llegaban al alma.

—Ya, ya está —dijo jadeando.

—Ahora usa uno de los bordes para limpiarte la sangre. Luego presiona la herida con ella. Eso detendrá la hemorragia.

Hubiera querido atravesar la pared para curarla él mismo. Se sentía impotente. Volvió a meter la mano en el hueco y la agitó tratando de tocarla. Sólo había aire. Dedujo que ella había quedado en una posición más alejada. La abertura casi no le permitía maniobrar. Un rato después volvió a sentir que los dedos lo tocaban. Preguntó:

—¿Pudiste hacerlo?

—Sí, Leonardo —y agregó con su voz afónica—, tengo que explicarte muchas cosas. Tú crees que yo estoy confundida, pero el confundido eres tú.

—¿De veras? ¿Qué quieres decirme?

—Hay ángeles a mi alrededor. Dicen que aprovechemos la oportunidad de hablar.

—Qué bien. ¡Nada me causa más alegría en esta tragedia que poder charlar con mi hermanita! Aisha, tenerte aquí es una desgracia, pero al mismo tiempo es el regalo más grande que Dios pudo darme...

Aisha soltó una risa que se convirtió en llanto.

Él se la imaginó. Siempre fue una niña gordita y vivaracha que lo seguía a todos lados. En su infancia era la compañera ideal de juegos porque creía todo lo que él le contaba. Leonardo significaba para ella el caballero armado de sus sueños, el hermano valiente que se internaba en los bosques para capturar a los villanos o para dar muerte a horrendos monstruos. Sus bellos ojitos inocentes se abrían cuando él le contaba locas aventuras imaginarias. Nunca tuvo un auditorio más crédulo ni más fiel que su hermanita. Pero cuando él comenzó a crecer se alejó de ella.

—Leonardo —dijo al fin—, háblame tú a mí... O mejor aún, rompe esta pared. Ven aquí conmigo... Por favor. Quiero abrazarte. Tus abrazos me daban tanta paz...

Sintió una nueva oleada de angustia. Él también quería estar con su hermana y confortarla, sobre todo porque Aisha echaba de menos algunos abrazos que él no recordaba haberle dado nunca.

Recomenzó la labor de agrandar el agujero. Después de un rato se detuvo. No podía seguir. Estaba extenuado. Necesitaba agua. Su corazón retumbaba con violencia. Se apretó la cabeza con ambas manos. Al cabo de unos instantes comenzó a repetir "¡Dios mío, Dios, mío, Dios mío", una y otra vez, con los dientes castañeando. Sin darse cuenta, retiró las manos de sus oídos y las mantuvo plegadas a la altura del pecho.

Tanteando, encontró un cuaderno. Tiró para liberarlo de las piedras que se habían acumulado. Lo sacudió. La cubierta y las primeras hojas estaban rasgadas. Les dio vuelta con impaciencia hasta encontrar algunas páginas en limpio.

Se colocó a la altura del agujero y, apoyando la barbilla, movió lentamente los labios:

—Aisha, ¿me oyes? —dijo en un balbuceo.

—Sí —susurró ella.

—No puedo hablar bien. Me estoy quedando sin voz, como tú. Voy a darte algo con la mano. ¿Ves mi mano?

Sus dedos se agitaron febriles en el aire. Ella contestó:

—Ya la veo. Te estoy tocando.

—Muy bien —continuó él—, voy a tratar de escribirte en una libreta. ¿Entendiste?

—Sí...

La luz era muy tenue, pero acercándose a la superficie del papel pudo garabatear unas líneas ininteligibles. Las tachó y controlando el temblor, escribió con letras más grandes:

Dime si puedes leerlo.

Dobló el cuaderno como rollo y lo pasó por el agujero de la pared. Lo agitó unas cuantas veces antes de sentir que un jalón lo desprendía de sus dedos. También insertó otro lápiz. Había muchos. Al cabo de varios segundos, el papel volvió a rasguñar la superficie; él estiró la mano para alcanzarlo. Aunque leía con dificultad, resultaba comprensible. Ella escribió:

¿Por qué te estás quedando sin voz?

De inmediato quiso escribir, pero él había tomado un bolígrafo y la punta estaba reseca. Rayoneó con todas sus fuerzas para que la tinta fluyera. Al fin pintó. Pasó a otra hoja y contestó:

Por la tierra y la falta de aire. Tengo la lengua seca. Me estoy muriendo de hambre y de sed. ¿Cómo está tu cabeza?

Le dio el cuaderno y ella se lo devolvió a los pocos segundos.

Me sigue doliendo, pero ya no sangra. Yo también estoy delirando por la sed.

El mecanismo de comunicación funcionaba bien. Se apresuró a escribirle la urgente pregunta:

Aisha, necesito que veas el lugar donde estás. Fíjate bien. ¿Hay algún camino por donde podamos salir?

Ella contestó:

No.

La escueta respuesta lo desanimó y al mismo tiempo lo hizo sentir aliviado. Sabía que sería incapaz de mover otro ladrillo. La precaria seguridad de ese mínimo espacio era preferible a arriesgarse a quedarse sin aire o provocar un derrumbe.

Escribió:

¿Pudiste mover las piernas?

Ella contestó:

No. Me pesan mucho y me duelen, pero lo que más me desespera es no poder verte.

Se escucharon nuevos gritos provenientes de algún lugar en los escombros. El mensaje de él fue manuscrito con rapidez.

¿Oíste eso? ¡Hay más gente atrapada!

Ella lo leyó y respondió de inmediato:

Sí.

Eso es bueno porque de seguro están tratando de rescatarnos a todos.

Mientras escribía su mensaje, se preguntó si era verdad que habría gente luchando por salvarlos.

Ella contestó:

Tal vez no lleguen a tiempo. Vamos a morir aquí.

Leonardo se apresuró a responderle. Con letras muy grandes, escribió un breve mensaje que ocupó casi toda una página:

¡No digas eso! No pierdas la fe, no te abandones! Pídele a Dios que nos ayude. ¡Ya verás que saldremos de ésta!

Ella objetó en la siguiente página:

Te noto muy espiritual, Leonardo. ¿Ahora sí crees en Dios?

Él dudó un poco. Creía, pero de forma superficial.

Mientras más pequeños nos sentimos, más nos damos cuenta que necesitamos de Alguien superior.

La comunicación se fue haciendo más fluida poco a poco. Escribían en el cuaderno, lo enrollaban y lo pasaban por el hueco.

No contestaste mi pregunta..

Quiero creer de verdad... ¡aquí he estado "clamándole" a Dios! Si existe, espero que me escuche.

Sin duda lo hará... A mí ya me escuchó. Me envió dos mensajeros.

¿Qué te dijeron?

Nada... de hecho no puedo verlos, pero siento su presencia y eso me tranquiliza...

Yo quisiera sentir lo mismo. A ratos me invade el pánico.

Tienes que limpiar tu corazón. ¡La culpa te está matando!

Leonardo se percató de que su hermana había recuperado la cordura. Con rapidez contestó.

¿Qué tengo que hacer para limpiar mi corazón?

La respuesta tardó. Cuando llegó, le causó un escalofrío.

Perdona y pide perdón.

¿A quién?

A las personas que has dañado y te han dañado. A ti mismo. A Dios...

Leonardo se quedó con el cuaderno y lo observó largamente. Luego escribió.

Mi esposa me invitó varias veces a un retiro en el que se hacen ese tipo de dinámicas. Tú sabes. Pedir perdón y perdonar. Ella los organizaba. Nunca quise ir. He sido un orgulloso.

Pasó el cuaderno y lo recibió de vuelta con una frase extraña.

Reconocer tu soberbia es una buena forma de empezar a cambiar.

Trató de escribir. La pluma volvió a fallar. Hizo más rayones y terminó desistiendo para buscar un lápiz. Tenía muchas ganas de soltarse a llorar, pero ya no por el temor o la desesperación, sino por la nostalgia de estar a punto de anotar una de las frases más lamentables de su vida.

No pude ser el hombre que Denise merecía.

10

PERDÓNAME MUJER

Resopló con mucho cuidado para sacudir sus fosas nasales y parpadeó varias veces.

Volvió a acomodarse boca abajo. Gimió en un intento inútil por comunicarse de nuevo con Aisha. Se acercó lo más que pudo al agujero.

—Quiero decirte algo de viva voz.

—Casi no te escucho.

Trató de subir el volumen, pero no estuvo seguro de haberlo logrado.

—Yo no he sido un elemento de victoria para ninguna mujer —tosió repetidas veces, se frotó el cuello como para ayudarse a recuperar la calma—. No te ayudé a triunfar a ti, ni a mamá, ni a las bailarinas del negocio de mi padre, ni a mis amantes ni a… —se le quebró la voz—, ni a Denise —al decir el nombre de su esposa en ese contexto sintió que la escasa resistencia se acababa—. ¡Perdóname, hermana! —continuó—, ¡perdóname porque nunca te defendí ni te pregunté si necesitabas algo!

Guardó silencio.

Recordó cómo poco después de haber conocido al grupo *Mujeres de conquista,* Denise lo invitó a que asistiera a una conferencia semanal, dirigida por hombres. De inmediato pensó que en esas juntas conocería a un puñado de afeminados u oprimidos, pero se equivocó. Se trataba de señores inteligentes, la mayoría de ellos ejecutivos y empresarios que amaban a sus esposas y se reunían para tener charlas sobre cómo ser mejores padres y maridos.

Revivió algunas ideas de los discursos que escuchó.

Las niñas son cariñosas, nobles, risueñas y pegadas al hogar; desde pequeñas juegan a la casita, arropan a sus muñecos o los acomodan para fingir que les dan clases. Tienen grabado el deseo de brindar amor, educar, cuidar, orientar y ser luz que guía; ¡pero los hombres no valoramos eso!

Una mujer que deseaba presentar su candidatura en el congreso de su país se le contestó de manera oficial: "Usted no trabaja; cuidar a un hijo y la casa no es un trabajo, es un papel biológico". ¡Las mujeres trabajan veinticuatro horas al día, pero no son valoradas! Por eso hay tantas madres confundidas.

Algunas se dedican a cuidar su cuerpo para ser aceptadas y deseadas. ¡Les hemos hecho creer que lo único importante es que estén delgadas y con formas sexuales prominentes! ¡Qué patraña tan absurda!

Muchos tuvimos que estar a punto de perderlo todo para darnos cuenta: Las estrías de un abdomen que ha dado a luz, deberían ser para los hombres como medallas de honor. El cuerpo que alguna vez fue delgado, pero que ha cambiado por amamantar a un bebé o por entregarse fielmente al trabajo diario, debería ser respetado, cuidado y admirado por el esposo que se hace uno con él cada noche. ¡Qué ciegos estamos los hombres!

Leonardo tragó saliva y sintió que su boca pegajosa se humedecía un poco.

—¿Aisha?

—Sí…

—Aquí, enterrados vivos, además de ser mi hermana, eres como la representación del género femenino.

Hizo una pausa reconociendo que de su corazón brotaba el deseo de pedir perdón a las mujeres.

—¿Puedo hablarle a mi madre y a mi esposa a través de ti?

—Adelante.

Comenzó despacio, consciente de que necesitó encontrarse en ese sepulcro de escombros, a punto de morir, para decir lo que debió decir frente a ellas. Su voz era débil en extremo.

—Perdóname, mamá. Cuando yo era niño y estaba enfermo, me ponía a llorar en la madrugada, tú te levantabas a atenderme mientras papá se tapaba con las cobijas, lanzando maldiciones. Muchas veces amanecía y seguías cuidándome, entregada a tus hijos en cuerpo y alma.

»Perdóname esposa… ¡Qué injusto fui contigo, también! Hacías mil cosas a la vez. Laborabas en una oficina para cooperar con dinero, aconsejabas a los demás, te involucrabas en obras sociales y además cuidabas de la casa. Cuando terminabas parecía que no habías hecho nada y yo te recriminaba… Fui injusto muchas veces, porque en ocasiones me preparabas algo de cenar y yo llegaba a la casa ya cenado, porque no tenía la atención de avisarte cuando se me hacía tarde; perdóname porque siempre te reproché que gastabas demasiado dinero. Si te comprabas un vestido nuevo, todos te lo alababan y a mí sólo se me ocurría preguntarte "¿cuánto te costó?" Perdóname porque varias veces te dije que eras inmadura e impulsiva cuando tuviste tus crisis premenstruales. Fui un idiota. ¡Al inicio de nuestro matrimonio empezamos un negocio desde "cero" y tú te partiste el alma trabajando conmigo! ¡Yo fui el que fallé! Miraba a otras mujeres. Incluso te fui infiel. ¡Perdóname! Merecías a un marido mejor que yo.

»Mujer... Quiero decirte que las personas a tu alrededor te necesitamos mucho, que vales mucho, que sin ti la gente que te ama se perdería. ¡Eres la columna vertebral, el sistema óseo, la estructura que mantiene en pie al género humano! Tu capacidad de amar es irremplazable, tu deseo de conquistar el mundo para Dios es formidable, tu esfuerzo y sacrificio en las cosas realmente importantes de la vida son fundamentales. Tu sensibilidad y ternura te hacen capaz de proteger, amar y llegar al corazón del ser humano... Eres el equilibrio del mundo y generas la vida espiritual desde tus entrañas... Mujer... debes saber que en gran medida es tu vida la que le ha dado sentido a la mía.

La voz de Leonardo perdió la poca fuerza que tenía. Su última frase fue como un aliento agonizante. Los dedos que sostenían la mano de su hermana se aflojaron y quedaron suspendidos en el vacío. Aisha no contestó. Pero, durante varios minutos se escucharon sus sollozos.

Afuera estaba oscureciendo y la luz que lograba filtrarse entre los escombros era casi nula.

Escuchó un zumbido lejano. Movió las manos para ponerlas sobre el piso y descubrió que las vibraciones se sentían como el ronroneo de un gato. Después percibió un aroma desagradable.

—¡Gas! —murmuró—. ¡Esto es el colmo!

Los vellos del cuello se le erizaron.

—Puede haber una explosión... puede...

Suspendió la frase. No se atrevía ni a pronunciarla. En los juegos tontos con sus amigos, alguna vez hablaron de las peores formas de morir. Él dijo que le aterraba la idea de quedar sepultado vivo o quemado. Jamás imaginó que alguna vez tendría que enfrentarse a sus mayores temores.

Seguía escuchando ese rumor sordo de la tierra vibrando.

—Aisha —levantó la voz—. Ya vienen los rescatistas—. ¿Los oyes?

—Sí —contestó ella—, pero huele mucho a gas.

—Yo pensé que eran alucinaciones mías.

—Se oye el ronroneo de los taladros —dijo ella—, pero también he escuchado gritos de dolor. En cada grito hay una esperanza, pero en el silencio que le sigue está la muerte... ¡Tengo mucha sed!

Leonardo trató de no pensar en eso. La realidad era una historia de terror insoportable. Prefirió evadirse reviviendo ideas sueltas de las conferencias que escuchó.

> Un hombre sólo puede ser grande si tiene una mujer valiosa a su lado y la mujer se engrandece sólo si el compañero de su vida la motiva de verdad...
>
> Debemos aprender que hay una interdependencia entre los sexos, valorar nuestras cualidades naturales y dignificarnos mutuamente.
>
> Es tan doloroso ver a las jovencitas de nuestros tiempos mezcladas con hombres groseros: ¡Todo entre jóvenes son majaderías, malas palabras, soeces alusiones sexuales!
>
> Me avergüenza decirles que yo mismo traté a las mujeres con un lenguaje perverso.

Saliendo de una de las conferencias para hombres, Leonardo caminó por los pasillos del edificio directo hacia el despacho de Denise. Estaba muy confundido.

—Buenos días —le dijo a la secretaria—, ¿usted cree que la licenciada Ciani pueda recibirme?

—¿Tiene cita con ella?

—No, pero es algo muy importante. Dígale por favor que la busca el señor Leonardo Villa.

Mientras esperaba sentado en la recepción, su mente repetía frases de la última conferencia.

> Hombres que están aquí, quiero preguntarles con toda honestidad: ¿Han ido más allá de la superficie? ¿Han intentado ir más adentro de la piel de la mujer? ¿Son capaces de percibir con todos sus sentidos el amor que su pareja, su madre o sus hijas sienten por ustedes?
>
> Dejen de despreciarlas y acudan a ellas como verdaderos hombres. Pídanles perdón por el pasado y demuestren su hombría diciéndoles cuán valiosas son para ustedes.

La secretaria se puso de pie y abrió la puerta de la oficina.

—Adelante, señor Villa.

Leonardo caminó con cierto nerviosismo. Denise Ciani lo esperaba, esbozando una ligera sonrisa.

—Pasa, por favor.

—Gracias... —tomó asiento frente a ella—, he... estado viniendo a las charlas para hombres que me recomendaste...

—Sí, lo sé.

—¡Denise, me siento muy mal! Necesito ayuda. No sé cómo liberarme de mi prisión. A veces sueño que soy un insecto atrapado en una densa telaraña y por más que me muevo no puedo salir. ¡Una vez a la semana vengo a escuchar pláticas que dignifican a la mujer, y en las tardes acudo al negocio de mi padre y hago todo lo contrario! A veces para no formar parte de la vileza que me rodea escribo frases sueltas o párrafos, pero el ejercicio, lejos de ayudarme, me hunde más...

—¿Qué escribes?

Buscó la cartera en su bolsillo y extrajo uno de los papelitos que traía. Lo desdobló y se lo alargó a Denise. Mientras ella lo leía, él la admiraba. Se sorprendió a sí mismo tratando de explorar la belleza de su cuerpo y se reprendió de inmediato, obligándose a mirarla a los ojos.

Te extraño mucho. Te necesito.

Denise. ¿Cómo fue que te perdí?

En ti he visto siempre los signos de dignidad femenina, pero durante un tiempo estuve ciego. ¡A pesar de ello mi conciencia se encargó de susurrarme al oído tu nombre todas las noches, antes de abandonarme al sueño! Hoy sé que he sido un tonto, ligero e irresponsable.

¡Cuando me acomodo en la administración del table dance, tengo vergüenza de mí! ¡Llego a mi casa y me acerco a mi hermana o a mi madre con deseos de abrazarlas y no me siento digno ni de tocarlas!

Entonces me encierro en mi cuarto y lloro.

La joven apartó los ojos del papelito y volvió a doblarlo muy despacio.

—¿De verdad piensas todo esto?

—Denise, ayúdame. Estoy a punto de estallar, voy a volverme loco.

—¿Y por qué no renuncias al trabajo de tu padre?

—No puedo.

—¿No puedes o no tienes el valor?

Cuando iba a contestar, se le trabó la voz. Estaba consternado de verdad. Denise lo notó.

—Leonardo, ¿tú has oído hablar de los tres principios para conquistar?

—Sí.

—El primero se llama "agresividad inteligente". Necesitas repasarlo. Es lo que te falta para salir del atolladero.

—Explícamelo.

Ella iba a comenzar a hablar, cuando Leonardo puso una mano sobre su puño apoyado en el escritorio.

—Aquí no. Te invito a comer.

11

PRIMER PRINCIPIO
AGRESIVIDAD INTELIGENTE

Leonardo condujo el auto en silencio. ¡Estaba sólo con Denise otra vez! El nerviosismo no lo dejaba relajarse. ¡Había tomado tantas veces esas manos y besado con tal pasión esos labios que sentía un enorme deseo de acortar la distancia.

Él conocía un hermoso restaurante en lo alto de una montaña y Denise aceptó hacer el viaje.

—¿Alguna vez podrás perdonarme por lo que hice? —se atrevió a cuestionar.

—No sé. ¿Mereces que te perdone?

—Sí.

—¿Por qué?

—Porque eres muy buena y yo muy guapo —de inmediato se dio cuenta que acababa de decir una sandez—, estoy bromeando —corrigió—. Tú sabes que no puedo vivir sin ti.

—¿Y por qué he de perdonarte si tienes una doble vida, como tu padre?

—Voy a tratar de cambiar.

—¿Vas a "tratar"? Eso es falso. La gente no "trata" de hacer lo que de verdad quiere hacer. Sólo lo hace.

—¿Si estás convencida de que no tengo remedio, porqué aceptaste salir conmigo?

Denise asintió.

—Es bueno aclarar esto. Me interesa ayudarte, pero lo nuestro terminó.

—No me digas eso, Denise. Te quiero. Vuelve a mí. Cásate conmigo.

—¿Estás loco? ¿Cómo voy a casarme con un hombre que no tiene los pantalones para salirse de donde está? Tu falta de "agresividad inteligente" es muestra de "machismo cobarde".

—Se suponía que me ibas a explicar eso.

—De acuerdo. Si a las mujeres les hablo del principio número uno, a ti te lo voy a gritar. No es posible ser victorioso en la vida sin ser agresivo y no se puede ser agresivo sin inteligencia.

—A ver —se acomodó en el asiento del conductor para tratar de relajar el ambiente—. A mí eso de la agresividad me suena a algo negativo. Los modelos de liderazgo más exaltados como Ghandi o la madre Teresa o incluso Jesucristo proponían la paz y el amor, ¡no la agresividad!

—Claro, ¡y esa es la paradoja! La paz verdadera sólo se logra siendo agresivo.

—¿Cómo?

—Se necesita agresividad para realizar huelgas de hambre y pronunciamientos sociales tan fuertes como los de Ghandi. Se requiere pasión agresiva para cuidar y besar leprosos o levantar obras de caridad como las de la madre Teresa. ¿Y no me digas que no hace falta verdadera agresividad para implantar un modelo de vida revolucionario como el que ordenó Jesucristo, dejarse flagelar y colgar en una cruz para pagar deudas ajenas? Leonardo, la verdadera paz en la familia y la armonía real se logran sólo mediante actos de agresividad inteligente.

—Me cuesta trabajo entenderlo.

—Pues abre la mente. Necesitas salirte de tu refugio y exponerte a ser insultado, y criticado. ¡Debes sacar la cabeza del agujero y vivir con más energía! Miles de personas se cruzan de brazos en cuanto consiguen un trabajito mediocre y se encierran en una vida rutinaria de esfuerzo mínimo.

—Denise —opinó Leonardo—, yo creo que vivimos en una sociedad demasiado estresada. Sólo tienes que manejar un poco en ciudades como ésta para percibir la agresividad de la gente. ¡Mira alrededor! Todos te cierran el paso, tocan la bocina e insultan. No existe armonía ni paz en las personas. Promover la agresividad en tiempos como éste puede ser muy peligroso.

—La agresividad *no* es peligrosa cuando se hace como estrategia. Incluso a los perros de guardia y protección se les enseña.

—¿De verdad?

—Sí. ¡Están educados para fingir! Cuando el entrenador da la orden, el perro muestra sus dientes de forma amenazadora y comienza a ladrar. Si el amo se lo pide, el animal se lanza sobre su presa y muerde, sacude la cabeza o se queda quieto; cuando el entrenador lo indica, el perro regresa moviendo la cola con alegría. ¡Todo el numerito es fingido! ¡Algo calculado y realizado con sangre fría!

—Y los perros salvajes no son así.

—Exacto. Ellos te atacan con "agresividad irracional".

—¿Eso quiere decir que los padres, cuando corrigen a sus hijos, deben actuar como perros amaestrados y no salvajes? ¿Regañar "de forma calculada"?

—¡Por supuesto! Un padre trastornado por la ira tenderá a lastimar física y verbalmente. Regañar a un hijo debe ser un número teatral. El papá puede levantar la voz o manotear en la mesa, puede incluso dar un leve correctivo físico, pero sin enojarse. Quien sabe hacerlo, no desvaría porque el castigo al hijo rebelde nunca es algo emocional, sino parte de un plan.

—¿Y si el hijo se da cuenta de que el papá suele fingir? ¡Acabará burlándose de él!

—No, Leonardo. Cuando asistes a una obra de teatro o ves una buena película, sabes que los artistas están fingiendo, pero igual lloras y te emocionas porque las expresiones faciales y las palabras bien dichas son convincentes por sí mismas.

—No estoy muy seguro.

—Bueno ¿por qué tienes una actitud tan negativa? ¡Voy a dejar de andarme por las ramas: Tú te muestras valentón con mujeres indefensas en el negocio que tienes y en cambio agachas la cabeza como niño asustado cuando tu papá te habla... —Denise subió la voz en una inflexión de verdadero enojo—. ¡Acepté comer contigo para obligarte a detener esa farsa de una buena vez, antes de que nuestros abogados te hagan pedazos!

Leonardo volteó a verla. Ella había enrojecido, tenía el ceño fruncido y lo miraba con furia repentina.

—E... estás dándome un ejemplo, ¿verdad?

Denise soltó una carcajada y su gesto se hizo afable.

—¡Claro! Tú ya sabías que yo estaba fingiendo, pero de igual manera tu corazón se aceleró, ¿o no? Leonardo, nosotras enseñamos a las mujeres a luchar por lo que les pertenece con "agresividad inteligente": Sin enojarse, sin "comprar" los insultos que reciben y fingiendo con inteligencia.

—¿Esto también lo... —titubeó—, lo... podemos aplicar los hombres?

—Sí. No es cuestión de géneros. ¡Hay varones igual de apocados y oprimidos! La dignidad es algo que se declara y se gana con agresividad inteligente. ¿Quieres que te traten bien? ¡Exígelo!

—¿En pocas palabras me estás sugiriendo que me enfrente a mi padre?

—Sí.

—Sólo de pensarlo, me topo con una pared. Denise, tu teoría es interesante, pero ¿cómo voy a convencerlo? ¡Ni modo que llegue ladrando!

Ella sonrió y sugirió de inmediato .

—Usa el "sándwich de convicción". Es parte del primer principio.

—¿También hay que hacer platillos de cocina?

—Nada de eso. Sólo es una comparación. Los sándwiches están conformados por dos piezas de pan suave y un contenido alimenticio en medio. Para efectos de esta metáfora, imagina que las piezas de pan suave son elogios y demostraciones afectivas, mientras que el contenido alimenticio son verdades fuertes, reprimendas y exigencias. Imaginar el sándwich te permite recordar el orden en el que debes llevar la conversación: Siempre inicias con un pan suave, mostrándole a la persona que no eres su enemigo, que lo aprecias y te agrada, para después llevar la charla a un terreno de agresividad inteligente en el que dices abiertamente las fallas que ha tenido, las molestias que te ha causado y las expectativas que tienes para el futuro. En ese momento debes ser muy enérgico; no puedes quebrantarte, dudar o cambiar de opinión. Cuando has dejado bien claro lo que quieres, procederás a cerrar el sándwich con el otro pan suave: Elogiarás a la persona y le dirás cuánto la quieres y necesitas.

—Qué interesante... —habló como para sí mismo—. Entonces tengo que aprender a hacer sándwiches y a ladrar más fuerte.

—Sí —sonrió—, pero no lo tomes a juego. Los agresivos inteligentes son revolucionarios, apasionados, exigentes consigo mismos y buenos vendedores. No le tienen miedo a buscar mejores ingresos; con frecuencia causan incomodidades donde laboran porque no paran de proponer, innovar y exigir; ¡no se acostumbran a las rutinas!, les gustan los cambios y se plantean nuevos retos todo el tiempo.

Leonardo vio las luces del restaurante y redujo la velocidad para entrar al estacionamiento. Objetó:

—Ese tipo de agresividad no me parece muy femenina. Acabas de describirme a un típico empresario hombre.

—Bueno, Leonardo. Se ha dicho mucho que cuando un varón es cariñoso o tierno, se está portando como mujer y que cuando una mujer habla con energía y es firme en sus convicciones se está portando de forma masculina. ¡No es verdad ni una ni otra cosa! Los seres humanos tenemos todas las facetas.

—Pero yo insisto, Denise: La agresividad, como concepto "me hace ruido." ¿Qué tiene de malo querer ser una persona tranquila que trata de evitar peleas y preocupaciones?

—Eso has hecho tú. Por eso vives esclavizado. La paz de este mundo no es sinónimo de inactividad, sino de lucha diaria con el corazón alegre. En los principios de Zurich,[1] escritos por los grandes banqueros, se asegura que la única forma de hacerse rico es aceptando la aventura y la preocupación en nuestras vidas. Aunque las filosofías orientales y los místicos de la meditación sugieren que tengamos *menos* (dinero, familia, responsabilidades) y así tendremos menos de qué preocuparnos, las personas exitosas dicen lo contrario: la vida es una aventura; debemos correr riesgos; ¡la preocupación es una parte integral de los goces más importantes de la vida! Nos preocupan nuestros hijos, nuestra pareja, nuestra familia, porque algún día aceptamos el compromiso de tenerla, y eso

1 Max Gunther. *Los axiomas de Zurich*. Selector. México 1989

es una aventura, un cambio, un riesgo. ¡Leonardo, no estamos en el mundo para vegetar sino para conquistar! Hasta un filósofo "regular" que lucha por trascender fronteras, es mejor que otro filósofo "excelso" escondido en su recámara. ¡Sal de ese negocio en el que estás! Ponle las cartas sobre la mesa a tu padre y no tengas miedo de asumir las consecuencias. Quizá ganes problemas, pero al mismo tiempo comenzarás a sentirte vivo por primera vez.

Leonardo estacionó el auto, apagó el motor y miró a Denise. La agresividad inteligente que la caracterizaba le daba una especial belleza: un brillo indefinible que potenciaba sus cualidades. Algo de lo que carecían todas las demás mujeres con las que él había tratado.

Denise miró hacia el frente y descubrió que estaban estacionados en un extraordinario mirador. Se bajó del auto sin pensarlo y caminó, como hipnotizada, hasta el borde del precipicio. Leonardo la alcanzó.

—¡Qué maravillosa vista! —dijo sin poder evitar un tono de conmoción—, ¡cuantos millones de focos comienzan a encenderse en la ciudad! Leí que cada luz representa al menos a seis personas. Esto es como ver el mundo en miniatura.

Levantó los brazos y respiró el aire fresco mirando hacia el cielo.

—¿Te gusta este lugar?

—Sí —dijo ella—, me fascina, sobre todo porque me hace recordar cuán feliz soy.

Leonardo le acarició el cabello y tuvo el deseo de tomarla por los hombros para besarla, pero se contuvo.

12

JEZABEL

Leonardo y Denise estuvieron contemplando la ciudad desde el mirador.

—Cuando dejamos de vernos —dijo él—, tú y tus amigas acababan de rentar un departamento para estudiantes. ¿Aún vives ahí?

—No. Me mudé.

—¿Entonces vives sola?

—¿Qué tiene de malo?

—No es bien visto en la sociedad.

—Leonardo, todos juzgamos a los demás a través del filtro de nuestra propia conciencia. Si tú harías cosas malas viviendo solo, de inmediato piensas que los demás haríamos lo mismo. Yo he vivido sola y he estado muy feliz, pero reconozco que la soledad también tiene sus peligros, por eso ahora comparto mi casa con tres mujeres de la asociación en la que trabajo.

Él la observó de perfil. En la preparatoria, fue ese perfil lo que más lo cautivó. Los rasgos de Denise eran mezcla de gitana y malagueña, según un poema que su papá le escribió y que ella siempre recitaba.

—¿Y no piensas regresar a España?

—¿Para qué? Mis padres murieron cuando yo era una niña. En España sólo tengo tíos y primos que nunca frecuenté.

Siguieron charlando durante casi una hora. Ella le platicó cómo había terminado su carrera, se había titulado y había trabajado en dos despachos antes de encontrar el grupo de Guadalupe Ferro. También le contó sobre los problemas personales que Guadalupe tuvo con su esposo varios años atrás, la forma en que los había resuelto y cómo ahora se dedicaban a difundir sus ideas.

—¡Pues a mí me han causado una revolución! —dijo Leonardo con verdadero entusiasmo—, ¿cuándo me iba a imaginar que renegaría de mi padre, motivado porque la mujer de mi vida trabaja como promotora de la liberación femenina?

—No entendí eso último.

—Denise... Me emociona mucho acompañarte... Estar a tu lado, contemplando esta hermosa vista...

—Sigo sin entender.

—Lo voy a repetir. Eres la mujer de mi vida. Estoy locamente enamorado de ti y siempre lo he estado.

—Ajá —no se inmutó con las frases, pero parecía incómoda por algo más—, ¿me llamaste "promotora de la liberación femenina"?

—Sí. ¿Qué tiene de malo?

—¡Yo soy todo, menos eso!

—¿Por qué?

—El movimiento de liberación femenina tuvo su utilidad histórica, pero hoy en día es reprobable.

—Denise, no me confundas. Yo entiendo que ustedes están ayudando a las mujeres a buscar puestos de liderazgo y poder sobre los hombres.

—Te equivocas. Esa es una canción antigua y desafinada. Cuando las mujeres han tratado de cantarla, la sociedad ha pagado un precio muy caro. Yo escribo artículos de capacitación. Luego te paso uno que escribí sobre la agresividad femenina mal orientada. Le llamé *El espíritu de Jezabel.*

Volvieron a mirar las miles de luces tintineantes y se quedaron en silencio por unos segundos.

Leonardo aprovechó para poner un brazo sobre los hombros de Denise y ella aceptó el gesto sin decir nada.

El espíritu de Jezabel

La compasión que nos caracteriza a las mujeres muchas veces ha desaparecido al lado de la pasión, las decisiones impulsivas, la venganza o la locura.

Varias mujeres merecen un lugar especial entre lo peor de la humanidad. Todas ellas han tenido de alguna forma el "espíritu de Jezabel".

En la historia de Israel, Jezabel fue esposa del rey Acab. Una mujer de carácter fuerte y muchas cualidades: Tenía carisma, hablaba bien, era bella y "tierna", pero debajo de su máscara perfecta escondía rebeldía, avaricia, mentira, envidia y deseo de poder. Debilitó a su marido, quien comenzó a obedecerla. Mandó a asesinar gente inocente, sólo por defender una malvada "super espiritualidad" y ganar riquezas. Ella operaba detrás de bambalinas manipulando al rey de Israel.

Jezabel se ha convertido en un símbolo de la mujer que atenta contra la autoridad genuina y maneja a los hombres intimidándolos con amenazas y seduciéndolos con sexo.

Cleopatra tuvo ese espíritu. A pesar de que su imagen ha sido romantizada, fue una mujer promiscua y avariciosa. Se casó con su propio hermano Tolomeo y a la vez fue amante de Julio César. Su influencia en el gobierno generó graves problemas, concluyendo con el suicidio de Marco Antonio. Finalmente, ella también se suicidó.

María Antonieta, reina de Francia en el siglo XVIII, fue otra Jezabel; se caracterizó por una vida licenciosa, de escándalos y descuidada extravagancia que le valieron el desprecio. Fue declarada culpable de traición y ejecutada en la guillotina.

Margarita de Anjou (1430-1482), reina consorte de Enrique VI de Inglaterra, se hizo impopular por el autocrático gobierno que ejercía a través de su débil marido. La lucha entre los que apoyaban al rey y los partidarios de Ricardo, duque de York, terminó con la Guerra de las rosas (1455). Tomada prisionera en 1471, retornó a Francia y murió en la pobreza más vergonzosa.

La Malinche (hacia 1505, muerta después de 1530), está legítima e indudablemente asociada con la traición y la derrota de los aztecas al servir de intérprete de Hernán Cortés. Fue su amante y madre de Martín Cortés.

Más cerca de nuestros tiempos, uno de los casos notables de conducta jezabélica fue el de Imelda Marcos, esposa del dictador filipino Ferdinando Marcos. Era conocida su insensibilidad y frivolidad, manifestadas en el dispendio de zapatos y ropa de prestigiosas marcas, mientras su pueblo moría de hambre.

Sin duda el ejemplo más destacado de impiedad, inflexibilidad e incompasión, es el de Margaret Thatcher, conocida como *La dama de hierro*, justamente por su dureza y severidad. Nunca nadie como ella reprimió con tanta violencia los movimientos independentistas de Irlanda y las huelgas de mineros. El hecho que determinó su salida del poder fue la aprobación de los llamados impuestos regresivos, *poll tax*, medida que empobreció a millones de personas.

En México, algunas mujeres en busca de poder político han dejado al descubierto manejos turbios y han llegado a un grado extremo de desprestigio nunca antes visto.

Cuando la mujer camina por esta línea de conducta, lejos de abrir nuevos cauces para el desarrollo histórico de las sociedades, provoca tanto daño como cualquier hombre malvado.

El movimiento feminista ha estado comandado por Jezabeles modernas. Surgió en los años sesenta para intentar revertir la situación social de las mujeres, pero tuvo efectos catastróficos: Las feministas, al pretender hacer valer la igualdad de los sexos, por una parte lograron revalorar la mano de obra y el trabajo de la mujer, pero con el resultado de descuidar la célula madre de la sociedad: la familia.

Sin duda en el movimiento de liberación femenina se incubó el deterioro y luego la decadencia del modelo familiar. No tiene nada de malo que las mujeres salgan a trabajar, incluso es bueno que lo hagan, lo que es terrible es la "masculinización" de la mujer, la imitación de los hombres, no las virtudes, sino los defectos: egocentrismo y celo profesional.

Con la liberación femenina las familias extraviaron la brújula que las mantenían orientadas hacia objetivos comunes, los hijos comenzaron a salir a edad muy temprana del hogar y, lo más lamentable, el divorcio como solución, dejó de ser la última alternativa para convertirse en la puerta fácil.

Por todo lo anterior, cuando hablamos de "Mujeres de conquista" debemos hacerlo con mucho cuidado. El feminismo histórico revela hasta qué punto las mujeres somos el equilibrio del mundo y cómo nuestras decisiones desafortunadas impactan y marcan negativamente a la sociedad.

Las mujeres que deseemos conquistar, de verdad, debemos, sí, demostrar cuán capaces somos en todos los aspectos, incluso profesionales, pero siempre motivadas por el amor legítimo, sin competir con los hombres por el poder, y volviendo a ser sustentadoras, referencias obligadas de armonía, unión, refugio y paz.

Leonardo soñó que estaba junto a Denise leyendo en voz alta el documento que ella le proporcionó, cuando comenzaba un terremoto.

Despertó agitado.

Descubrió por enésima vez que era preferible soñar cualquier pesadilla a estar despierto. La sed se había convertido en una punzada aguda. Por otro lado, el dolor de la fractura resultaba a veces tan intenso que lo hacía anhelar una amputación.

Tomó una piedra y golpeó la pared.

—¿Aisha? ¿Me escuchas?

—Sí —dijo su hermana con voz excesivamente afónica—, estoy deshidratada.

—Aguanta, hermanita.

—Perdona, Leonardo, mientras hablabas hace rato me pareció como si fueses un ángel susurrándome al oído. Creo que me dormí, aunque dijiste cosas muy lindas sobre la mujer... Soñé que me despertaba para abrazarte.

—Resiste, Aisha, en cualquier momento vendrán a rescatarnos.

—Sí. Hay más gente atrapada aquí. Tal vez alcancen a salvar a algunos, pero nosotros estamos hasta abajo.

—Sin embargo, entra luz. A lo mejor el edificio se cayó hacia un lado y somos nosotros quienes quedamos arriba.

—Ojalá... ¡Cómo me gustaría que pudieras verme! Eso me evitaría explicarte tantas cosas! —su voz denotaba un profundo dolor.

—Mamá me dijo que sufriste daños por un accidente, pero no me aclaró nada.

—Mmmh.

—Aisha. Háblame. ¡Eso te distraerá! Además yo quiero oírte. Necesito oírte. Lo único que me consuela en esta tragedia es que estoy junto a ti. Quiero saber qué te pasó y por qué.

Ella comenzó a toser. Después de un rato gimió.

—Cuando me veas no lo vas a creer.

—Te aceptaré y te amaré sin importar lo que te haya pasado. Eres mi hermana.

—No, Leonardo. Ni siquiera te imaginas.

—Tranquila, Aisha. Todo tiene solución.

La tos regresó, ahora como un ataque de asma. Leonardo le dijo que tratara de detener la crisis y respirara despacio. Cuando el ruido se sofocó, supuso que ella se había quedado sin aire. Esperó un rato antes de preguntar:

—¿No preferirías seguir escribiendo en el cuaderno?

—Puede ser.

Él se lo pasó.

Después de un rato ella se lo devolvió con algunas palabras mal escritas y frases incongruas:

Mujeres sabber conquistaa ¿por qué? Aprende, apredndíí trabajé ayudannndo a otras. Vi casos conmovedoreas.

Leonardo lo recibió y contestó:

No te entiendo.

Ella se tardó mucho en regresar el cuaderno. Leonardo se quedó quieto y a la expectativa. Mientras esperaba, recordó las palabras de Denise en el mirador.

—Estoy feliz de ser mujer. ¡Amo mi vida! Disfruto tanto de paisajes como este. Todos los días, cada vez que puedo miro hacia arriba.

—Tu alegría se contagia —dijo él.

—Es normal estar alegre cuando tienes algo por qué vivir.

—¿Sí? ¿Y qué es eso tan especial por lo que vives?

—Mi Creador. Soy una admiradora de las pinceladas de Dios

en el firmamento. Me siento tan amada por él, que no puedo más que desear corresponderle.

—Me haces sentir celos.

—Eso es una reverenda tontería que aleja a los hombres tanto de Dios como de sus mujeres.

—¿Tú eres mi mujer?

—No.

—Pero estás muy romántica. No parecías así cuando me regañaste hace rato ni cuando atacaste el negocio de mi padre.

—Era una ira fingida.

—¿Como la de un perro amaestrado?

—Sí. Aunque me gusta más decir "como la de una abogada en funciones".

—Denise ¿cuál es tu trabajo exacto en el centro de mujeres?

—Coordino las actividades, pero también doy consejería a jóvenes que han sufrido embarazos no deseados.

—¿De veras? ¿Y qué se le puede decir a una mujer embarazada que no quiere a su bebé?

—En el fondo todas lo quieren. Cuando una mujer lleva en su seno la vida, se despierta en ella un instinto de entrega. Un sentido de grandeza. Yo sólo les hago darse cuenta de ello y aquilatarlo. Les digo que no deben aferrarse a un pasado inexistente, que la chica virginal y sin hijos del ayer ha sido transformada ahora en una mujer diferente, y que deben aceptar esa nueva realidad. Para las mujeres que acuden a nuestro centro, el embarazo suele ser un grave problema por la falta de dinero y atención de sus parejas, pero después de algunas sesiones de asesoría se les nota una luminosidad en el rostro. Su corazón se hace resistente a las adversidades. Casi siempre logramos conseguirles trabajo y ellas lo realizan con gusto, anhelantes de poder dar lo mejor a sus futuros hijos.

—Hablas con mucho orgullo del tema.

—Estoy orgullosa de poder ayudar a otras mujeres y orgullosa de ser mujer.

Aisha había introducido el maltratado cuaderno por el agujero y lo movía para llamar la atención de Leonardo. Él tardó en darse cuenta. Cuando lo vio de reojo se apresuró a tomarlo.

—Tardaste mucho ¿Escribiste un libro?

—Casi. Lee todo con cuidado —sugirió ella—, busca entre líneas.

Él desdobló el legajo y vio que en efecto había dos páginas llenas; se esforzó por descifrar los garabatos de su hermana. Aunque la letra parecía cada vez más apretada, los párrafos eran coherentes. Conforme iba comprendiendo sintió una congoja apabullante.

Me platicaron de una mujer que fue violada. Era joven y bonita. Estudiaba en la escuela preparatoria. Por desgracia se enamoró de un muchacho violento. Él también era estudiante del mismo colegio.

Leonardo detuvo la lectura. Aisha había escrito eso en tercera persona, ¿por qué le había dicho "busca entre líneas"?

Sintió tribulación.

¡Se estaba refiriendo a ella misma!

13

AISHA

Leonardo continuó leyendo:

Una noche, esta joven estudiante salió de la escuela y encontró a su novio en una esquina. La estaba esperando. Él la detuvo con violencia y trató de besarla.

Como estaba borracho, ella le dijo que la dejara en paz. Discutieron y acabaron peleados. Ella le gritó que no quería volver a verlo, y él se puso furioso.

La muchacha corrió y él la persiguió hasta que la alcanzó, la agarró con fuerza y la jaló a los matorrales de un terreno baldío.

Ahí la violó.

La chica regresó a su escuela a pedir ayuda. Iba llorando, sucia y con la ropa desgarrada. El director llamó a la policía. Denunciaron al violador.

El muchacho huyó y se escondió; los judiciales tuvieron que investigar. Fueron a la escuela varias veces e hicieron interrogatorios en las aulas.

Hubo una histeria colectiva. Se corrió la voz de que habían violado a una estudiante. Todos los alumnos, padres de familia y vecinos de la zona lo supieron.

Al final, encontraron al violador y lo metieron a la cárcel, pero ella quedó como marcada.

Todos la miraban al pasar y cuchicheaban. Cuando entraba a un salón, sus compañeros se codeaban y la señalaban.

La trataban con desprecio, porque se rumoraba que ella había propiciado todo.

Le tenían lástima porque decían que le habían arruinado la vida.

La miraban con asco porque la consideraban sucia y corrompida.

Ella lloraba por las noches y sentía deseos de suicidarse.

Dejó de arreglarse y de esforzarse por estudiar.

Caminaba encorvada y se imaginaba que en su ropa había un letrero imaginario enorme que todos podían leer: "La chica violada"

El director de la escuela conocía a Guadalupe Ferro y la llamó para pedirle ayuda.

Guadalupe llevó a la muchacha al grupo "mujeres de conquista" y la puso en terapia psicológica y espiritual.

Varios meses después ocurrió algo muy extraño.

Leonardo dejó de leer y se talló los ojos. Como estaba deshidratado por completo, ya no tenía lágrimas; sin embargo, la congoja de conocer de esa forma y con tanto retraso la terrible historia de su hermanita, le producía un escozor insoportable.

Continuó.

Era el festival de fin de cursos.

La escuela preparatoria había contratado un teatro enorme para hacer la clausura anual. Se iban a presentar también bailables y números artísticos.

Cuando el director estaba dando las palabras de bienvenida a todos los estudiantes y padres de familia, la joven que fue violada levantó la mano y le pidió la oportunidad de hablar por el micrófono.

El director titubeó, porque era algo imprevisto y fuera de programa, pero al fin accedió y le dio la palabra a la chica. Cuando ella se paró al frente hubo un silencio tenso.

Comenzó a hablar:

—Ustedes me conocen. Saben quien soy. Al menos, de seguro han oído hablar mucho de mí. Soy la chica que violaron

Todos la miraban con asombro. ¡Se necesitaba valor para pararse al frente siendo quien era!

Ella continuó.

—Estoy aquí para hacer unas aclaraciones. Abusaron sexualmente de mí, es verdad, pero quiero decirles que no estoy de acuerdo en ser tratada con desprecio, lástima o burlas. Lo que a mí me pasó, yo lo considero como un accidente. Es algo parecido a haber sido atropellada por un camión.

¿A quien de ustedes le gustaría ir por la banqueta y que de repente un camión perdiera el control, se subiera a la acera y los atropellara? ¿A quién le gustaría sufrir un accidente así? ¡Pues a mí me ocurrió! Fui atropellada y sufrí lesiones graves. Físicas y emocionales. Y estuve en tratamiento físico y emocional. La terapia de rehabilitación fue dolorosa y tuve que vivirla y llorarla y sufrirla día a día, paso a paso. Ahora estoy sana. Vengo a notificárselos y a declararlo. Nadie me ha echado a perder la existencia. Nadie me ha mancillado para siempre. ¡Vengo a decirles que tengo una vida hermosa y que soy una mujer íntegra! Lo que me ocurrió no me hace una persona de menor calidad. Al contrario. Después del accidente tengo una madurez y perspectiva de las cosas que muchos de ustedes no tienen. Me he levantado del lodo. He crecido. He aprendido a amar a perdonar y a luchar por mis ideales. Mi sexualidad y mi dignidad están intactas. Soy valiosa, decente y noble como cualquiera de ustedes o incluso más que muchos de ustedes. Cuando me vean o se topen conmigo no me traten con lástima o desprecio. ¡No tienen derecho a hacerlo! Ustedes demuestren, con sus actos lo valiosa que es su vida y yo haré lo mismo con la mía. ¡Reconozco que estuve pisoteada, humillada y tirada en el suelo, pero ahora, me siento orgullosa de mí, tengo la cabeza en alto y estoy de pie!

Entonces todo el teatro con más de mil personas irrumpió en aplausos y la gente se paró de sus asientos.

El director abrazó a la chica y la gente supo que las mujeres no valen o dejan de valer por sus problemas del pasado, sino por lo que ellas pueden declarar en su presente...

El texto se cortaba a la mitad de una página. Leonardo pasó la hoja con desesperación, esperando que su hermana hubiese continuado con el relato, pero no había más. Era todo.

—Aisha ¿me escuchas?

—Sí.

—Lo que escribiste me partió el corazón. ¿A ti te pasó todo eso?

—No.

—¿Entonces...?

—Te dije que leyeras entre líneas.

—Sí —se desesperó—, ¡por eso! Eres tú la de la historia, ¿no?

—Ojalá lo hubiera sido. A mí me contaron eso.

—¿Quién?

—En el grupo... Cuando fui a terapia.

—¿A terapia? ¿Por qué?

—Porque me pasó algo similar.

—¿Cómo? ¡No te entiendo!

—Abusaron de mí... pero no reaccioné como la muchacha de la historia.

—Aisha...

—Yo no sabía a qué se dedicaba papá. Pensé que el negocio del que tanto hablaban era un restaurante bar. Así le decían siempre "el bar" ¿te acuerdas?

—Sí... sí...

Un día oí chismes muy feos sobre mi padre y sobre ti. Me dijeron que ambos eran explotadores de mujeres y administradores de prostitutas. Me dijeron que tú habías huido por asesinar a un hombre en el centro nudista. Oí rumores de que mi papá traficaba con drogas y producía pornografía. Entonces quise averiguarlo...

—¿Por qué no me preguntaste?

—Tú no estabas. ¡Habías desaparecido!

—¿Y qué hiciste?

—Seguí a papá hasta su negocio. De inmediato me di cuenta de que no era un bar, sino un *table dance*. Entré y fui confundida con una prostituta. Me senté en una mesa y observé el escenario. Vi los groseros bailes de las mujeres y presencié la degradación de los hombres. A lo lejos distinguí a papá carcajeándose, tomando alcohol y manoseando a dos jovencitas. ¡Me sentí tan mal! No puedes imaginarlo. Toda mi vida se derrumbó en ese instante. Salí del lugar caminando muy despacio y un hombre me siguió. Sin muchos rodeos, me preguntó si aceptaría irme con él. Yo estaba extremadamente deprimida y sentía un coraje enorme. Quise darme la vuelta y rechazar al tipo, pero él insistió. Dentro de mí escuché voces que me decían lo despreciable que era mi vida, mi familia, mi apellido, mi procedencia. ¡Tenía un padre degenerado, un hermano prófugo y una madre humillada que aceptaba vivir en medio de esa porquería y nos mantenía con dinero sucio! Entonces acepté irme con ese sujeto... Ahí perdí mi inocencia. Fui más que violada. Fui ultrajada ¡con mi propio consentimiento! Probé las drogas y caí en una espiral de deshonor de la que no pude salir...

—Pe... pero ¿acudiste al grupo *Mujeres de conquista*?

—Sí. Mi mamá me llevó. Guadalupe hizo todo lo posible por ayudarme, pero yo estaba perdida en una selva oscura de la que no podía salir.

—¡Entonces esa historia de la estudiante que violaron y se recuperó no es la tuya!

—Yo soy el caso contrario. Represento a la mujer que sufrió decepción, abuso sexual y traición, pero jamás se repuso. Me hice a la idea de que mi vida había sido echada a perder y acepté la podredumbre diaria...

—Aisha, me mata escucharte hablar así.

—Lo siento.

—Dijo mamá que sufriste daños físicos y psicológicos.

—Sí. Tomé un puño entero de pastillas.

—¿Qué pastillas?

—Droga sintética. Una sola píldora te hace viajar durante horas.

—¿Y qué te pasó?

—Tuve una especie de explosión en el cerebro. Mi cuerpo se afectó... El aspecto que tengo es muy distinto al que recuerdas.

—Ya te dije que te aceptaré y amaré como sea.

—Mmmh.

—¿No puedes moverte?

—No —fue la escueta respuesta.

—¿Entonces cómo escribes, hablas y me pasas el cuaderno por el agujero?

—Tengo momentos excepcionales. De hecho tampoco puedo pensar bien.

—¿Qué dices? ¡Piensas excelentemente!

—A veces... Los médicos que me atienden han perdido la esperanza.

—¡Eso es absurdo! ¡En qué cabeza cabe! ¡Estamos hablando! ¡Compartiendo ideas y sentimientos como no lo hicimos nunca! Una persona es lo que es su mente y tu mente trabaja mejor que la mía... Te vas a rehabilitar por completo.

Hubo un silencio que después ninguno de los dos supo cómo romper. Pero pasados varios minutos, escuchó que ella respiraba con dificultad, como tomando aire. Balbuceó:

—Todo lo que está pasando es una ilusión, Leonardo. Las apariencias aquí son engañosas. Cuando nos saquen y me veas, prométeme que no te vas a asustar...

—Aisha, guarda silencio. Eres mi hermana y te quiero como sea.

—Las cosas han cambiado mucho desde que nos vimos por última vez. No sabes con quién estás hablando.

—Aisha, descansa, por favor, tienes las cuerdas vocales muy lastimadas.

—¡Pero no quiero callar! El silencio me asusta.

La frase se quedó suspendida en el aire. Aisha tenía razón: el silencio entre ellos era opresivo y los rodeaba extendiendo en la atmósfera una especie de pesado velo de desamparo.

Leonardo volvió a percibir el intenso olor a gas y un sudor frío recorrió su cuerpo. Sólo conversando lograría conservar la cordura.

—Aisha, no te duermas, por favor… —le dijo, con el temor agarrotado en la garganta.

—No —le respondió ella—, pero ahora cuéntame tú. Quiero saber por qué mataste a aquel hombre.

—Yo no lo maté.

—Cuéntame.

14

EL ASESINATO

Luchando contra el letargo producido por el cansancio, la falta de comida, agua y aire puro, obligado a permanecer en ese confinamiento, y sufriendo dolores intermitentes por la pierna rota, Leonardo era consciente de su rendimiento gradual. Cada vez estaba más doblegado e indispuesto a luchar; además en su alma afloraba el azoro después de haber escuchado las palabras de su hermana. Ella jamás le había expuesto argumentos de adulto y mucho menos revelado problemas tan crudos. Sólo recordaba que Aisha era una niña de grandes ojos oscuros, sonrisa dulce, reservada y silenciosa. Él había vuelto de España para encontrarse con ella. Cuando compró el pasaje de avión pensó en ella. Cuando viajó durante casi doce horas imaginaba que la invitaría a salir para charlar a solas.

Fue Denise, quien le enseñó a valorar el privilegio de tener una hermana…

—Piensa, Leonardo: Aisha es una de las personas más valiosas de tu vida. Crecer junto a una hermana puede enseñarte los tesoros de inocencia, creatividad y sentimientos femeninos... Los hombres aprenden a controlar su fuerza al jugar con una mujer de edad similar a la que miran con ojos limpios, quien en silencio les ayuda a ser caballeros, consejeros y héroes. El amor de hermana es algo grande que debe cuidarse. Es maravilloso tener una hermana.

La acendrada educación machista de Leonardo le había arrebatado la convivencia adolescente con Aisha porque en cuanto él tuvo sus primeras experiencias sexuales, sin quererlo, sin estar consciente, se apartó de ella.

Por eso, si de algo se sentía alegre en esa horrenda tumba, era de poder comunicarse con su hermana.

—Leonardo... —escuchó su voz muy débil—, ¿estás escribiéndome tu historia?

—No. Perdona. Es que me quedé pensando.

—Háblame.

—Sí —carraspeó—; ¿por dónde empiezo?

—Lo que quieras contarme está bien.

Repasó ideas.

—Yo era un cobarde —comenzó—. No podía aplicar el principio de agresividad inteligente. Le insistí mucho a Denise que fuera mi esposa, pero no sólo se negó sino que me puso como condición para seguir viéndonos que dejara de una vez y para siempre el negocio de mi padre. Yo le tenía miedo a papá... tú me entiendes... Él era capaz de todo...

Hizo una pausa para tratar de generar un poco de saliva. Sentía la lengua acartonada y aunque sus palabras eran un balbuceo tosco, confiaba en que ella las entendería y que él podría proseguir.

—Yo estaba frustrado. En el trabajo cambié mucho. Casi nunca bajaba de mi oficina para ver el espectáculo y, en mi nuevo estado de ánimo, a veces me repugnaba ser testigo de algo que yo mismo mantenía… por eso, sin que mi padre supiera, creé un nuevo puesto de trabajo en el negocio: el de meseras "dignas" que no se desvestían. Les llamaba *hostess*. Al terminar la jornada, platicaba con ellas. El simple hecho de no haberlas visto desnudas nunca, me hacía valorarlas como personas, pero a pesar de todo, seguía manteniendo un ligero sentimiento de superioridad hacia ellas.

»Había una chica llamada Magnolia que era muy bonita. La noche de la tragedia, Magnolia llegó reluciente, con nuevo peinado y arreglada de forma agradable. Cuando estaba tomando la orden de bebidas, un borracho la atrapó sujetándola por el brazo y la jaló hacia él para hablarle al oído. Ella trató de aclararle que era *hostess* y que no se desnudaba, pero mientras más explicaciones daba, el borracho se entusiasmaba más con poseerla. "No te vas a ir", le decía. "quítate la ropa; haznos un baile privado". Magnolia intentó zafarse y pidió auxilio. Los amigotes acallaron sus gritos rugiendo como animales y, de pronto, Magnolia se convirtió en el centro de atención de todo el lugar.

»La danza en la tarima se detuvo. El apoyo de otros hombres envalentonó al borracho quien se levantó y comenzó a arrancarle la ropa. Como Magnolia se resistió, el hombre le lanzó un zarpazo que le desgarró la blusa. Los guardias de seguridad reaccionaron con lentitud, pero al fin corrieron al lugar. Entonces, el borracho sacó una navaja y se la puso a la chica en el cuello. "Aléjense", gritaba "o la mato" Estaba fuera de sí. Desde la ventana de mi oficina, en el primer piso, vi el rostro aterrado de Magnolia y bajé corriendo. "Háganse a un lado", vociferaba el sujeto, "me la voy a llevar; yo vine por una mujer y esta me gusta".

»En lo que llegué, alguien logró golpear al sujeto por detrás y quitarle el cuchillo, pero sus dedos se aferraron con fuerza a los jirones desgarrados de la blusa de Magnolia. La chica seguía aterrada. No conseguía liberarse de él. Los amigos del borracho salieron en su defensa y se desató una pelea. Varias mesas fueron derrumbadas; vasos de cristal, botellas y espejos se rompieron. Sobrevino el caos. Yo mismo tuve que entrar a los puñetazos. Por fortuna los cuatro guardias de seguridad, que eran hombres fuertes, echaron mano de toda su rudeza y al fin lograron calmar la situación; entonces miré alrededor, vi la cantidad de daños materiales causados y descubrí a Magnolia en el suelo casi sin ropa, tratando de controlar una hemorragia nasal producida por golpes que recibió. Vislumbrar la desnudez de esa joven me llenó de rabia.

»¡Según yo, estaba tratando de ayudar a chicas como ella creándoles empleos dignos, pero en realidad no hacía más que retardar un poco su degradación! Mientras existiera ese antro, todas las que entraran en él se perderían. Me di cuenta que era un tibio, cobarde, despreciable, incapaz de tomar decisiones tajantes de una vez. La furia me hizo apretar los dientes hasta lastimarme y la vista se me nubló. Eso se llama *agresividad irracional*. El tipo de cólera que nos mete en problemas, que destruye nuestras vidas y flagela a nuestros seres queridos.

»Mandé a los encargados de seguridad que sacaran a los bravucones y golpearan al borracho que originó todo. Los guardias también estaban inyectados de adrenalina y la ira enturbiaba su pensamiento. Me obedecieron. Llevaron al fondo del salón al sujeto y ahí le pegaron salvajemente, animados por mis órdenes. Se hizo un nuevo barullo. Unos clientes comenzaron a correr a la salida mientras otros, recrearon su morbo observando la golpiza. Entre todo el estrépito, yo permanecía con los brazos cruzados, sin hacer caso a Magnolia quien, a mi lado, me pedía que los detuviera. El hombre derrumbado fue pateado y aporreado con garrotes hasta que dejó de moverse. La paliza fue mortal. Al fin, los verdugos pararon al verlo inerte.

»Entonces escuché el grito de una bailarina que decía: "¡Está muerto!" A lo lejos creí oír el ruido de las patrullas acercándose. ¡Mis empleados habían matado a alguien por órdenes mías! Salí corriendo del bar, me subí al coche y fui al departamento.

»Tú debes acordarte de eso, Aisha. Estabas dormida cuando llegué, pero hice mucho ruido y te despertaste. Me viste como loco buscando cosas en el closet. Preguntaste qué había pasado y yo no quise explicarte nada. Tenías apenas dieciséis años. Para mí eras una niña incapaz de comprender. Sólo te dije que iba a irme por un tiempo; me observaste, pero tu mirada era muy expresiva. Estabas asustada. Me ayudaste a hacer mi maleta sin preguntarme nada y de pronto te detuviste. Saliste del cuarto y fuiste a hablar por teléfono. Cuando me di cuenta de lo que estabas haciendo te alcancé. Le explicabas a alguien que yo estaba muy mal.

»—¿Qué haces? —te interrumpí colgando el teléfono con brusquedad.

»—Estoy tratando de pedir ayuda —respondiste—, ¡tú necesitas ayuda, Leonardo!

»—¿A quién le hablaste? —te inquirí con violencia y bajaste la vista para decir despacio:

»—A Denise.

»—¿Cómo se te ocurre? —grité—. ¡Denise no puede ayudarme!

»—Tal vez —dijiste—, pero es muy inteligente y tú le tienes confianza; a mí no vas a platicarme nada, pero a ella sí...

»Nuestros gritos despertaron a mamá, quien salió de su recámara con gesto de terror. Quiso averiguar qué pasaba, y yo me negué a dar explicaciones. Terminé de hacer mi maleta y abandoné el departamento dejando a las dos mujeres más importantes de mi vida llorando y temblando.

Leonardo bajó la voz al pronunciar la última frase, que resultó casi inaudible al mezclarse con un zumbido del exterior. Había nuevos ruidos. Quizá eran los rescatistas, pero ya no confiaba en sus sentidos. Llevaba muchas horas enterrado y no distinguía el presente del pasado ni la verdad de la fantasía.

—¿Estás oyendo mi historia?

—Más o menos —respondió una voz endeble—, pero me distraje por el ruido.

—Van a rescatarnos.

—Ajá. Sigue contándome.

—Fui a la casa de Denise. Tú le habías pedido ayuda por teléfono y ella estaba despierta, preocupada. Me abrió de inmediato. Le expliqué todo; le dije con mucho ímpetu que estaba tomando la decisión definitiva de cambiar y que a partir de ese momento sería un hombre nuevo, pero también le aclaré que necesitaba irme del país por un tiempo. Por primera vez la noté confundida y triste. Entonces puse mis manos sobre sus hombros, le pedí que me viera a los ojos y que tratara de identificar en ellos mi sinceridad. Le dije cuánto la amaba y la necesitaba, le supliqué otra vez que se casara conmigo y me acompañara a donde yo iba a ir. Ella negó con la cabeza. Entonces imploré, dije que me hospedaría en un hotel esa noche y al día siguiente pasaría por ella en un taxi. Le prometí que nunca la defraudaría...

Separó la cara del agujero para introducir el brazo y buscar la mano de su hermana. La halló con facilidad. Sintió una leve caricia.

—¡Pero lo hice, Aisha! La defraudé.

—No te escucho bien, Leonardo.

La soltó y volvió a agacharse hacia el boquete para hablar.

—Me hospedé en un hotel y pasé el resto de la noche llamando por teléfono a las líneas aéreas para investigar los vuelos que había al día siguiente. Sabía que Denise tendría tiempo tanto de hablarle a la policía, como de hacer una maleta y huir conmigo.

»Al día siguiente, cuando llegué a su casa, iba muy nervioso; no creía que se atreviera a denunciarme, pero a decir verdad, tampoco creía posible que apostara su vida por mí.

»El taxi se detuvo frente a su reja y me bajé a tocar mirando para todos lados. Me dije: "Ella no va a salir, es un amor imposible". Pero me equivoqué... Dos horas después estábamos juntos a bordo de un avión que se dirigía a Madrid.

»Cuando Denise se asomó por la ventana para echar un último vistazo a la ciudad de México, la tomé de la mano y le dije que estábamos siendo agresivos; ella negó con la cabeza para decirme: "esto es un acto de agresividad, pero irracional, espero que no nos arrepintamos..." Le tapé la boca con un beso suave y le aseguré que estábamos haciendo lo correcto...

[illegible]

[illegible] ocurrido.

[illegible] Los médicos [illegible] en la [illegible]

15

SEGUNDO PRINCIPIO
FE VIVENCIAL

—Nos casamos en Madrid; estuvimos ahí tres semanas —prosiguió Leonardo—, después decidimos probar suerte en una ciudad más pequeña donde Denise tenía familiares. Gracias a mis ahorros del bar, pudimos instalar un restaurante de comida rápida en Cádiz. Durante varios meses fui cariñoso con Denise, pero como deseaba a toda costa demostrar mi capacidad para hacer negocios lícitos sin ayuda de nadie, poco a poco me envolví en el trabajo y me olvidé de ella. Denise no logró intimar mucho con sus familiares y buscó amigas que pensaran como ella, lo cual no fue fácil. Al fin logró involucrarse en un grupo de estudio bíblico que organizaba retiros. Por todos los medios, trató de convencerme para que la acompañara. Yo me negué a hacerlo. Estaba demasiado ocupado.

»Después quedó embarazada. Los médicos le diagnosticaron un problema de flexibilidad en la matriz y ella tuvo que permanecer en reposo durante veinte semanas. Al quinto mes se le rompió la bolsa amniótica y el bebé nació. Por desgracia no estaba suficientemente maduro... Falleció a las pocas horas. Para mí fue una tragedia incomprensible. No supe encauzar el dolor y me mostré enfurecido.

»—¿Lo ves? —le dije—. ¿De qué te sirvieron tantos retiros y cursos? ¡Si tu Dios fuera todo amor, como dices, no hubiera permitido que te pasara eso!

»Denise reaccionó de forma muy distinta. Me dijo:

»—Amar a Dios no significa que dejarás de tener problemas, pero durante la tormenta sentirás una paz que no es comprensible humanamente; eso me pasa: debería estar devastada por la pérdida de nuestro bebé, sin embargo, percibo el consuelo de mi Padre del cielo que me abraza, me acompaña y me asegura que el mal no tiene poder sobre mí y que, a la larga, todo obrará para mi bien.

»Yo me enfadaba al oír eso. Lo consideraba presunción estúpida. Sin embargo, mientras mi mal humor sólo manifestaba cuánto miedo e inseguridad había en mi interior, Denise demostraba, con hechos, la fortaleza de la que tanto hablaba.

»Se recuperó pronto y recomenzó su labor de ayuda hacia mujeres. Las cualidades que antes tanto me atraían de ella, comenzaron a parecerme detestables. A mis ojos, su filosofía optimista se había convertido en juicio hacia mí; su espiritualidad en puritanismo, su conducta ética en aburrimiento.

»Comencé a salir por las noches, a tomar alcohol en exceso e incluso a visitar centros de desnudistas como el de mi padre. Como ella siempre argumentaba ideas inteligentes, supe que sólo gritándole podía imponerme. Me volví un maldiciente, la llenaba de calumnias, la acusaba de infidelidad y la espiaba. Al fin logré quebrantarla y una noche la encontré llorando. Me dijo:

»—Leonardo tú no eres como tu papá, siempre he visto la nobleza en tus ojos, sobre todo cuando me pediste que te mirara de frente y me casara contigo. Me prometiste que nunca me defraudarías y yo te creí. Eres un gran hombre. Siempre lo he dicho. Te vi llorar y deshacerte cuando murió nuestro hijo, te sentí abrazándome con ternura todas esas noches de embarazo en las que no podíamos tener intimidad física... eres bueno, pero ahora estás cayendo en la peor trampa que un hombre puede caer: la repetición de los errores de su padre. ¡No debes convertirte en un patán, promiscuo y vicioso! ¡Sin darte cuenta estás desgarrando mi alma, porque ya no somos dos personas sino una! ¡Reacciona, por favor! Si sigues cayendo, me vas a arrastrar contigo.

Leonardo no pudo continuar su relato y se soltó a sollozar, repitiendo una frase autodenigrante:

—Soy un imbécil...

Continuó gimiendo por largo rato. Aisha, del otro lado del muro, guardó silencio.

—Yo era un perverso —prosiguió luego—, porque lejos de escuchar a mi esposa, salí de la casa echando pestes y seguí tomando alcohol. Después caí en adulterio. ¡Le fui infiel a Denise! ¿Lo puedes creer? Cuando ella se enteró, la vi destrozada y yo me sentí satisfecho. ¡Al fin había logrado quitarle su paz y fortaleza! Pero fue por poco tiempo. Ella se puso de pie, y dijo que no podía vivir conmigo mientras me negara a respetarla y a darle su lugar. Hizo sus maletas y se fue. La vi dejar la casa entre nubes, mientras tomaba un vaso de whisky. Ese es el último retrato que tengo de ella. Entre nubes...

Leonardo comenzó a toser y se quedó en silencio. Había demasiado dolor en sus recuerdos.

—Después de que ella se fue —agregó—, caí más y más en degradación. Hasta que una amiga de Denise tocó a la puerta. Yo estaba completamente borracho. Apenas pude abrir. Me dio un material impreso y me invitó a uno de los retiros. Yo no acepté, pero ella me dejó una carpeta con el material que usaban.

Recordó los cuatro puntos básicos de las hojas. Aunque habían sido escritos para mujeres, sin duda los axiomas eran aplicables para los hombres también.

Leonardo los había leído muchas veces, y jamás los había aplicado.

Estaban en su cerebro, pero no en su corazón.

Quizá había llegado la hora de analizarlos de verdad.

FE VIVENCIAL

1. Dios existe.

No es una cuestión de creencias. Tú puedes creer que la fuerza de gravedad existe o no. De todos modos existe, sin importar lo que tú creas.

Imagina que encuentras un reloj funcionando a la perfección sobre la mesa de un restaurante ¿te atreverías a decir que de entre todos los elementos, resortes, engranajes y metales del universo, los componentes de ese reloj evolucionaron con los siglos y se movieron por sí solos hasta acomodarse juntos en ese lugar para formar el reloj? ¡En realidad parecerías idiota si te atrevieras a asegurar que los elementos se alinearon por sí mismos, y hasta un niño se reiría de ti si dijeras que el reloj se creó solo y se autocolocó en la mesa!

Los ateos en su deseo desesperado por parecer inteligentes caen en ese mismo insulto a la inteligencia.

El hecho de que no puedas ver al relojero no significa que no exista. Tampoco le haces un gran favor ni le das vida al creador del reloj si crees en él. ¡Él existe, lo creas o no!

Hay quienes aseguran que el universo con todas sus leyes científicas de funcionamiento que lo hacen operar a la perfección, evolucionó hasta este punto. Algunos sustentan que la maravilla del cuerpo humano, los cromosomas, el corazón, los alvéolos pulmonares, los sistemas endocrinos, inmunológicos, neurológicos, sin contar con las maravillas químicas y biológicas de los tejidos vegetales y animales, se echaron a andar ellas solas con el paso de los siglos... Esas personas jamás podrán aprovechar las bondades de la fe vivencial.

Nunca olvides el axioma número uno: *Dios existe aunque tú no lo creas*.

2. Para conectarte con Dios, necesitas fe.

La fe es la certeza de lo que no se ve y la convicción de lo que se espera.* ¿Eres una persona creativa? ¿Tienes imaginación? ¡Entonces puedes tener fe!

Fe es llamar a las cosas que no son como si ya fueran, y creer con firmeza que el anhelo de tu corazón viene hacia ti.

Sin fe no es posible agradar a Dios porque necesitas convicción de que él existe para hablarle y buscarlo.*

La fe no es un sentimiento, es una decisión. Tú *decides* tenerla y aumentarla. ¿Cómo? Cierra los párpados, piensa en el mundo espiritual invisible para los ojos físicos y dibújalo con el corazón.

¡Imagina! ¡Visualiza! Decide ver con los ojos de la fe y aférrate a esa visión. No temas. ¡Cree solamente!*

Nunca olvides el axioma número dos: *Mediante la fe puedes acercarte a Dios y recibir sus bendiciones*.

3. Sólo la fe apasionada mueve montañas.

Has comprendido que Dios existe y que sólo puedes tener contacto con él mediante la fe, pero si deseas ver milagros debes profundizar hasta el tercer nivel de la fe.

Al asistir a un partido de fútbol puedes tener experiencias diferentes:

PRIMER NIVEL. Estás en las tribunas, con una actitud de juicio, analizando el desempeño del árbitro y los jugadores. Te reúnes con tus amigos después y emites opiniones severas; tu vivencia es de *testigo crítico*.

SEGUNDO NIVEL. Formas parte de la porra de uno de los equipos; vas uniformado del mismo color y apoyas ruidosamente a los tuyos. Al final, logras una vivencia más intensa, porque eres un *seguidor entusiasta*.

TERCER NIVEL. Eres uno de los futbolistas y juegas en la cancha durante los noventa minutos. En este supuesto, tu experiencia es de entrega y pasión máxima porque eres un *actor vivencial*.

En el tema de la fe, existen los mismos niveles. Hay quienes "creen" de forma superficial, por tradición; otros usan uniformes o distintivos para involucrarse a medias; sólo unos cuantos profundizan y se vuelven actores vivenciales.

Deja de ser el vanidoso que sólo se sienta a buscar errores y critica a los apasionados. Esa es la posición más fácil y perezosa. Da el salto y confía de verdad. No tengas miedo a entregarte a Dios con pasión. Ponte en su presencia y habla... Dile cuánto lo necesitas. Dirígete a él como lo harías con un padre amoroso; llámalo "papá". La amistad con la gente se cultiva. Requiere de convivencia cercana. La amistad con Dios es igual. No es posible fortalecerla si no estás a solas con él un rato cada día. Búscalo en un lugar privado todas las mañanas.

También toma en cuenta que la fe es como un leño en la hoguera que se mantiene encendido gracias al calor de las llamas producidas por más leños ardientes alrededor, por eso busca un grupo de gente loca por Dios, para que te contagien su fuego.

Tus adversarios se han multiplicado y muchos se levantan en tu contra, pero si decides tener una fe apasionada, verás verdaderos milagros. Dios será escudo alrededor de ti y de los que amas. Él te sustentará y levantará tu cabeza.*

Nunca olvides el axioma número tres: *Para vivir una vida de milagros usa una fe apasionada.*

4. Conquista tus sueños, hablando.

Cuando el ciego Bartimeo, se acercó a Jesús y le dijo "ten misericordia de mí", Jesús se volvió y le preguntó: "¿Qué quieres exactamente?" Aunque era obvio que el ciego deseaba recobrar la vista, Jesús quiso que el hombre mismo lo declarara con su boca.*

La *palabra* es el sello de los deseos. Usa *la palabra* para suplicar por tu familia. Pide el bien para la gente que amas y rechaza toda suciedad en tu casa. Pero muévete con humildad. No digas los deseos de tu ego, sino lo que agrada a tu creador; respetando y sometiéndote a su voluntad. Para ello aprende a escuchar su voz en tu pensamiento a través de un tiempo diario de leer las Escrituras.

El mal aún tiene en su poder a la escuela de tus hijos, a los profesores, a los funcionarios de gobierno, a tu familia, a tu esposo... No puedes quedarte con los brazos cruzados. Eres una persona conquistadora. Ponte en pie de lucha. Acepta el reto de pelear la guerra que va más allá de lo visible. ¡Arráncale al mal la capacidad de gobernar a los tuyos y recupéralos para el bien!

Visualiza la conquista que deseas hacer. Asegúrate que vaya acorde al corazón del Señor. Imagina los detalles, luego pídele a su Espíritu que te conceda el milagro de hacerla realidad. Compórtate como si la conquista estuviese consumada en el mundo espiritual y sólo fuera cuestión de tiempo para verla materializada. Alíneate a esa visión y vívela con plenitud.

Nunca olvides el axioma número cuatro: *Dios actúa a tu favor si hablas con él claramente y haces su voluntad.*

En su interminable dolor, Leonardo recordó los cuatro axiomas de la fe vivencial y se sintió impotente e indigno de aplicarlos.

—Oye —escuchó la voz afónica de su hermana que le preguntaba—: ¿de verdad piensas que Denise era una buena esposa?

—Sí.

—¿Entonces por qué le fuiste infiel?

—No sé…

—¿Y piensas que una mujer como ella, dejaría a su marido?

—No.

—¿Entonces..?

—Alguien me dijo que se volvió a casar.

—¿Y tú lo crees?

—No. De hecho apenas hace unos meses que nos separamos.

—¿Entonces..?

—Quizá se alejó de mí para aplicar la fe vivencial.

—¿Cómo?

—Denise tenía una forma muy extraña de rezar: le pedía a Dios que humillara a los confortados y levantara a los humillados. Yo la oí decirlo. Cuando alguien se llenaba de soberbia y maldad, ella rezaba: "Señor, te pido que hagas que esa persona pueda ver con claridad su perversidad y se sienta incómodo en ella; haz que su corazón se ablande y la soledad lo aplaste, provoca en él un sentimiento de transparencia para que se vea al espejo, se conozca a sí mismo, se desprecie por lo que ha hecho y caiga de rodillas humillado; haz que se sensibilice y reconozca que te necesita; deja que su sendero de maldad se vuelva un sufrimiento insoportable para él hasta que sea capaz de pedir perdón y volver a nacer en ti".

—Exacto —susurró Aisha…

—¿Tú crees que ella lo hizo?

—Sí.

—¡Ahora entiendo! ¡Es por eso que estoy aquí, debajo de estos escombros! ¡Tal vez Dios escuchó los rezos de mi esposa y se dio cuenta que necesitaba este recurso extremo para ablandar mi corazón!

—No digas tonterías.

—¿Por qué?

—Tu diálogo interno es muy intenso, Leonardo. No te deja descansar. Relájate y busca a Dios sin preguntarle nada. Sólo entrégate a él.

Se encorvó un poco y tapó su cara tratando de concentrarse, pero al poco tiempo comenzó a convulsionarse por un llanto seco y delirante. Entonces gimió.

—No puedo.

16

PAPÁ

Leonardo estaba en el límite máximo de deterioro. Su escasa energía se le escapaba por cada poro de la piel. Sabía que Aisha debía encontrarse en condiciones similares. Retenía su mano y notaba que cada vez tenía menos tono muscular.

El aire y el tiempo circulaban despacio en la cápsula de concreto. Su esfuerzo por realizar aspiraciones más profundas era castigado con violentos accesos de tos. Hacía ya mucho tiempo que no escuchaba gritos. Quizá eran ellos los únicos sobrevivientes.

La voz ronca de su hermana le llegó entrecortada.

—Le... Leonardo...

—Sí.

—Me acordé de... de un texto.

—¿Cuál?

—Si vas ante el altar a dejar tu ofrenda, pe... pero tienes algo en contra de tu hermano, ve... ve y reconcíliate con él primero y... y... luego regresa para tratar de agradar a Dios.*

—¿Qué quieres decir?

—Que tu... tu relación con Dios no será posible hasta que te reconcilies con la gente que odias.

—Yo no odio a nadie.

—¿No?

Silencio.

Leonardo odiaba a su padre, pero no se atrevía a confesarlo. Miró hacia arriba. Las horas pasaban lenta y dolorosamente. Le parecía que llevaban días enteros sepultados. Haciendo un esfuerzo por orientarse, concentró su atención en la luz. No era un rayo fuerte, sino varios muy débiles penetrando por distintos resquicios encima de su cabeza. Ya estaba cayendo la noche por segunda vez, eso significaba que llevaban ahí alrededor de treinta y seis horas.

Al fin se animó.

—¿Sabes qué voy a hacer, hermana?

—¿Qué?

—Voy a rezar por mi papá, de la misma forma en que quizá Denise rezó por mí. Le diré a Dios: "Haz que ese hombre sufra y pague todos sus errores como yo estoy pagando los míos. ¡Déjalo que se pudra en el infierno!"

Aisha debió sentir una descarga de adrenalina porque repentinamente su voz recuperó fuerza.

—¿Le estás rezando a Dios o al demonio?

—¿No es así como se hace?

—¡No! Leonardo, ¿qué te pasa? ¡Denise jamás pudo decir algo así!

—¿Cómo sabes?

—Ella era mi amiga... Usaba la fe vivencial para bendecir. Si alguna vez le pedía a Dios que doblegara y humillara al malvado era con el fin de que se volviera hacia la bondad.

—Ya no sé qué pensar.

—Leonardo, acabo de acordarme de otro texto. El primer mandamiento con promesa. Honra a tu padre y a tu madre para que tengas larga vida sobre la Tierra.*

—Larga vida. ¡Qué ironía!

—Los hijos que no honran a sus padres cargan con una enorme maldición sobre sus hombros.

—¡Es lo único que me faltaba!

—Debes perdonar…

—¿Cómo eres capaz de decir eso, Aisha? ¡Él también te destruyó a ti! ¡Recuérdalo!

—Para vivir necesitamos perdonar. Yo ya lo hice.

—Exacto. Vivir es lo único que me preocupa ahora. ¡Salir vivo de aquí!

—Pero no así, Leonardo. ¿Para qué? Seguirías enterrado en maldición.

—Me asusta esa palabra. Suena a brujería.

—Las maldiciones son reales. Hay mucha gente maldita por sus propios actos y sentimientos…

—¿Yo entre ellos?

—Sí.

Leonardo se sintió ofendido. Casi no podía creer lo que Aisha había dicho. ¿La condena de un hijo que insulta a sus padres podía ser evidente al grado de que todo en la vida le saliera mal?

Ninguno de los dos habló más. No sólo la pared se interponía entre él y su hermana. Ahora una tercera presencia, invisible y silenciosa los acompañaba: La figura dominante de su padre, una imagen que no podía definirse con palabras.

Afuera estaba oscureciendo. El día había terminado.

Con la oscuridad llegó el sueño. Su cuerpo descansó de los calambres, y su pierna que lo había atormentado tanto, permanecía insensible. Quizá se estaba gangrenando.

Al quedarse dormido tuvo una pesadilla en la que se veía imposibilitado para moverse por fuerzas desconocidas. Poco a poco, los contornos de unos bultos sobre él se perfilaron con claridad. Eran rocas, enormes y pesadas. Gran cantidad de ellas lo mantenían aprisionado. Luego, como en una secuencia cinematográfica, vio a su padre, afanándose en remover las piedras. El viejo estaba solo y lloraba mientras sus músculos se tensaban al máximo empujando un bloque de concreto. En la absurda pesadilla, Leonardo se dirigió a él con una pregunta también llena de incongruencia:

—¿Qué haces aquí?

El hombre se volteó para decirle, con el rostro desfigurado por el esfuerzo:

—Estás enterrado en los escombros, hijo. ¡Tengo que sacarte!

—¡Pero si fuiste tú quien me puso ahí dentro!

—Sí, lo sé —su padre lloraba al hablar—. Me equivoqué. Traté de darte lo mejor y al final te eché a perder. ¿Recuerdas cuando eras niño? ¿Los juguetes que te compraba? ¿Cómo te enseñé a jugar baseball, y te mostraba lleno de orgullo con mis amigos? Tú siempre fuiste mi esperanza...

—¡Pero me perjudicaste!

—Quería tu felicidad.

—Hiciste todo mal.

—Lo sé... Perdóname. Estoy arrepentido —de repente, el hombre se arrodilló sobre los escombros sin dejar de hablar—. Por eso estoy aquí, desgarrándome las manos, tratando de limpiar mis errores. Mira, estoy herido —extendió los brazos hacia él, mostrándole las palmas con ampollas sangrantes y profirió un lamento que se convirtió en un grito largo.

Leonardo despertó sobresaltado. El grito seguía escuchándose. Era un alarido real que se había filtrado hasta sus sueños. Alguien sufría en algún lugar del edificio emitiendo ese sonido desgarrador.

Una leve luminosidad hirió sus ojos.

Ya era de mañana. Había dormido toda la noche. Miró el agujero. Trató de hablarle a Aisha, pero no pudo. Su garganta estaba cerrada. Dio unos golpes a la pared con la palma de la mano. Estuvo pegando en el ladrillo hasta que logró escuchar algo del otro lado. Se apresuró a buscar el cuaderno, trazó unas líneas.

Tuve un sueño horrible. ¿Tú pudiste descansar?

Lo metió por el hueco. Aisha lo cogió, para devolverlo después:

Sí, más o menos. ¡Ya pasaron dos noches!

Soñé con papá.

¿Lo perdonaste?

No...

Quizá muramos. Tal vez no vuelvas a verlo, pero necesitas reconciliarte con él.

Los rasgos del cuaderno eran erráticos. Ninguno de los dos tenía la coordinación suficiente para delinear bien.

De acuerdo, Aisha. Ya no tengo fuerzas. Todas las barreras se cayeron... ¿cómo le hago?

Imagínate que él está aquí y háblale.

¿Así nada más? ¿Con imaginación?

La imaginación es fe y la fe mueve montañas.

¿Y escombros? ¿Qué te parecería mover estos?

El contexto es espiritual. Deja de evadirte... y habla con tu padre.

Pero no puedo hablar. Estoy agotado.

Entonces escribe.

Leonardo recibió el cuaderno. En su mente repasó cuanto diría si pudiera conversar con ese hombre. Como una nueva catarsis en la oleada de violentas y purificadoras emociones que había experimentado, comenzó:

Papá:

Estoy enterrado vivo en una montaña de piedras. He vomitado, orinado y defecado en mi ropa; huelo a mi podredumbre y la de los cadáveres cercanos que empiezan a descomponerse.

Me estoy muriendo, pero lo que de verdad me está matando es una montaña de rencor y coraje contra ti.
No sé si alguien vaya a mover las piedras, pero al menos yo quiero quitar éstas... las que tengo encima por tu causa...
Necesito hablarte, papá.
Debes saber que tuve una esposa maravillosa. Por desgracia la perdí porque no pude ser el hombre que ella merecía. Yo soy responsable, nadie más, pero tú me "heredaste" varios rasgos de carácter que me echaron

una manita: adicción al alcohol, machismo, intransigencia, gusto por la pornografía, atracción por las prostitutas, deslealtad... ¿Quieres que siga?

Sus líneas se convirtieron en un clamor lleno de exigencia y dramatismo. Desde ese pequeño espacio, reducido a la nada, se desentendió de su cuerpo y en un estado de pureza y desprendimiento, continuó redactando:

Por otro lado, reconozco que fuiste un buen entrenador deportivo y me motivaste a luchar siempre por ganar.

En este lecho de dolor he comprendido que nadie es perfecto y no puedo juzgarte.

Seguramente tú también heredaste cosas malas de tus padres. Lo que te hicieron a ti, fue injusto. Ante la adversidad, reaccionaste lo mejor que pudiste.

Papá, entre tanto dolor, la verdad es que ¡me has hecho mucha falta!

Extraño los días en que me lanzabas la bola y yo estaba aprendiendo a pegarle con el bat. Extraño tu personalidad impactante e incluso tus groserías.

Eres el hombre que me dio el ser. La mitad de mi persona proviene de ti. No puedo renegar de la sangre que corre por mis venas. Es tuya. No puedo renegar de mi apellido. Es tuyo. Quiero aceptar esa parte de mí que tú representas. Quiero aceptarte tal y como eres; quiero amarte.

Papá voy a escribirlo muy fuerte con el lápiz:

Te perdono. Ya no quiero que te vaya mal.

En este lecho de muerte, sintiendo cómo cada vez mi

corazón pierde fuerza, digo que deseo tu felicidad y tu salud. Imagino con los ojos de la fe que serás libre de todo vicio y que hallarás la paz.

Le pido a Dios que te brinde una vida llena de amor y satisfacciones.

Te deseo lo mejor. De alguna forma, no te lo mereces, pero yo pido bendiciones para ti.

Te honro padre...

También, con toda el alma imploro al Señor para que me perdone por las veces que hablé mal de ti, por las veces que pensé mal y deseé cosas malas para ti. Yo también te juzgué, te critiqué hasta el cansancio. No era mi papel. No era lo correcto. Estoy muy arrepentido...

Aunque conozco tus errores y los repruebo, a pesar de todo, papá, en mi último aliento, te quiero decir SOLO TRES COSAS: te amo, te respeto, te perdono...

Leonardo dejó de escribir.

Contempló las hojas desgarradas y sucias. Borrosamente distinguió una fila de rayones y palabras mal trazadas. Quizá su padre jamás leería esa carta…

Cerró los ojos.

Le había costado mucho trabajo redactar cada palabra, pero al hacerlo sintió como si, en efecto, una pesada carga espiritual hubiese caído de sus espaldas.

Se convenció de que los ataques de angustia y ansiedad que se habían sucedido periódicamente ya no volverían. Si hubo una maldición en su vida por deshonrar a su padre, él acababa de romperla.

Se quedó muy quieto durante varios minutos.

Después escuchó un ruido diferente que lo sobresaltó.

Estaban ocurriendo nuevos derrumbes. Esta vez muy cerca.

Repentinamente comenzó a llover tierra y grava sobre su cabeza.

—No... —quiso exclamar—. ¡Deténganse!

Trató de gritar, dar aviso a los rescatistas, decirles que tuvieran cuidado al mover los escombros, pero una cosa era hablar con susurros por el agujero, casi al oído de su hermana, y otra muy diferente era tratar de hacerse escuchar con voz afónica a través de varios metros de rocas.

17

TERCER PRINCIPIO
AMOR DIRIGIDO

Revivió la sensación desesperante de claustrofobia. ¡Era demasiado polvo! ¿Terminaría ahogándose antes de ser rescatado? ¡Qué ironía! Tosió. Cerró los ojos. Guardó la respiración, quiso inhalar de nuevo, pero volvió a sentir asfixia.

—¡No! —giró su cuerpo como pudo y se colocó boca abajo.

Las piedrillas siguieron cayéndole sobre la espalda.

Su sentido del oído se había afinado; escuchó. ¿Qué era aquello? ¿Ladridos? ¡Sí! Pero... no eran los propios de un animal encerrado o herido, ¡eran ladridos apremiantes, casi alegres, como si el perro que los emitía acudiera a recibir a su amo! Se esforzó por oír más detalles. ¡No era sólo un perro!, había varios. Los sonidos nuevos y extraños se sucedían uno tras otro. Ahora percibía voces humanas. Gritaban en... ¿qué idioma? ¡Francés! No podía equivocarse; las vocales sonaban abiertas y la "r" gutural. Al concierto de gritos y ladridos se unió una crepitación de motores y golpes como de martillos sobre las piedras.

Metió la mano por el hueco del muro otra vez, tanteando en el aire con los dedos extendidos. Alcanzó a tocar a su hermana en un codo. Hizo maniobras intentando recorrer el brazo para alcanzarle la mano. La piel de Aisha estaba fría y sus articulaciones rígidas. Quiso transmitirle calor, frotándola. Parecía como si estuviese tocando a una muerta.

Se dejó abatir por la tristeza.

—Esto es inútil —susurró—. ¿Por qué Dios no me escucha? ¿Por qué la fe vivencial, que es tan efectiva para algunos, resulta improcedente para mí? ¿Acaso porque soy un patán, miserable sin remedio y sin merecimientos?

Al oírse a sí mismo volver a autodenigrarse recordó el último principio para conquistar que leyó en los apuntes cuando su esposa se fue. ¡Quizá, en efecto, era la potencia del amor dirigido lo que a él le faltaba para ver milagros en su vida!

Cerró los ojos y trató de retratar en la mente las hojas. Nunca las tomó muy en cuenta ni las aplicó, porque estaban escritas para las mujeres, pero tal vez podían servirle también a los hombres. Las repasó en su memoria.

AMOR DIRIGIDO

El amor te ha provocado sufrimiento: la gente se ha burlado de ti, han dicho que eres idealista, poco racional, voluble, llorona e incluso tonta... Por amor has consentido a tus hijos hasta dañarlos, has tolerado que la gente te humille o te has entregado a personas equivocadas. Debes cambiar la propensión a amar difusamente. Dirige tu amor como un rayo láser al sitio correcto y convierte tu sensibilidad en una potencia.

Dirige el amor hacia ti misma.

Imagina que tu autoconcepto sano está representado por una banqueta lisa.

Supongamos que te sales de la banqueta hacia el lado izquierdo. Ahí existe un hundimiento lodoso. De inmediato te llenas de fango y no puedes caminar. Para efectos de esta metáfora, te sientes disminuida, piensas que no cumples las expectativas de la gente y todos te desprecian. Te dices cosas como "soy fea", "estoy gorda", "no soy buena deportista", "se me olvidan las cosas", "mi mente no es ágil", "me falta preparación". Amas a los demás, pero tu amor no es bien correspondido ni bien tratado, porque nadie puede amar a una mujer que ha decidido vivir enlodada. Es ahí cuando pareces una romántica tonta y poco interesante. Al sentirte inferior, lo reflejas y la gente te trata como si fueras inferior.

Si te ha pasado algo así, debes regresar a la banqueta de la autoestima equilibrada. ¿Cómo? ¡Simplemente regresando!

Decide amarte.

Una joven que anhelaba ser escritora, se decepcionó mucho cuando visitó la Biblioteca Nacional. Vio que había miles de libros de todos los temas imaginables. ¡Cualquier cosa que ella decidiera escribir, sin duda ya había sido escrita mejor por alguien más! Se lo comentó a un escritor famoso y él la regañó: "Quizá existan millones de libros sobre un tópico, pero cuando tú escribas sobre lo mismo, mucha gente lo leerá por primera vez".

Tienes razón en que millones de personas pueden haber tenido ideas similares a ti, pero tu forma de abordarlas es única, porque no ha existido nadie en la historia de la humanidad con tu cerebro, tus dones y percepciones... Eres especial. Eso se llama *valor de originalidad*.

Entiéndelo. Estás hecha de experiencias distintas a las de cualquier ser humano. Tienes una forma única de expresarte, tu manera de aconsejar, pensar y actuar es "tuya". ¡Sé tú misma!

Te sorprenderás cuán buenos resultados puedes tener en cuanto reconozcas esta sencilla verdad: "Nadie puede hacer lo que tú haces de la misma forma". Ni tu marido, ni tu hermano, ni tu padre, ni el mejor de los hombres... Ni tu cuñada, ni tu hermana, ni tu suegra ni la mejor de las mujeres. Otros quizá hagan cosas diferentes, pero jamás igualarán tu estilo.

¿Has renegado del ayer? ¡Deja de hacerlo! Siéntete bien por haber sufrido, pues el crisol del dolor te formó de manera especial. Así que ama tu pasado.

Ámate a ti misma y no permitas abusos.

Algunas mujeres piensan que deben soportar cualquier cosa. Eso es un gran error. La abnegación femenina mal entendida se convierte en esclavitud denigrante. Cuando alguien te haga algo malo, no lo toleres, ¡repréndelo! Sólo si de verdad cambia de actitud, deberás perdonarlo. Por otro lado, si te ofende siete veces en un día, y siete veces te dice con sinceridad que está arrepentido, siete veces deberás perdonarlo, ¡pero la clave es nunca olvidar que sólo darás tu mano amiga cuando la otra persona reconozca que se equivocó y desea cambiar!*

Memorízalo: ¡Tú mereces ser bien tratada!

¡Miles de madres inculcan conductas machistas en sus hijos varones, enseñando a las niñas a doblar la cerviz ante el poder masculino e inyectándoles como única motivación en la vida, el deseo de "tener un buen matrimonio"! Tú y tus hijas merecen más que eso. Exige ser bien tratada. El "macho" llega hasta donde tú lo permites.

Regresa al sendero pavimentado de la autoestima sana, y ahora, por favor ¡ten cuidado también de no salirte hacia el otro lado!

A la derecha de la banqueta hay una montaña rocosa.

Imagínala.

Si entras a ella comenzarás a tropezar. Ahora estarás en el lado opuesto: el de la vanagloria y pedantería. Pensarás que la gente es inmadura; te verás a ti misma como "sabia", capaz de enseñarle a todos las verdades más profundas; dejarás de avanzar porque los peñascos que pisas te harán suponer que todos son más pequeños y están obligados a llegar al altar en el que te encuentras para alabarte. Si te ha pasado algo así, bájate de la loma y regresa al camino pavimentado.

Aunque la banqueta es muy angosta, mantente en ella: Ahí, estarás consciente de tus debilidades, pero te sabrás fuerte; tendrás el convencimiento de que necesitas aprender más cosas cada día y te sentirás digna, con la capacidad de hacerlo.

Comprende que todas las personas nos salimos de la acera incluso varias veces en un mismo día, pero esfuérzate por regresar lo más pronto posible y permanecer en ella. Entonces estarás aplicando el amor dirigido hacia ti misma.

Leonardo abrió los ojos...

A pesar de sus errores, era especial. Incluso, gracias a ellos lo era... ¡Estaba ahí abajo, no para quejarse y maldecir, sino para sacar lo mejor de sí mismo! Mientras le quedara un aliento de vida, haría cosas buenas con el fin de ayudar a su hermana.

Jaló la pared del hoyo y un ladrillo rojo se desprendió por completo. Quedó impávido. ¡El muro se había aflojado! Si se esforzaba lo suficiente quizá, ahora sí, lograría quitar la barrera entre su hermana y él... Dudó unos segundos. ¿Y qué ganaba con eso? Bueno, si llegaba hasta ella iba a poder auxiliarla mejor. Claro que al remover los bloques y arrastrarse a través de una pared tan inestable, el resto de la estructura podía derrumbarse sobre él, aplastándolo por completo.

¿Y qué? En algún lugar había escuchado que quien defienda su vida la perderá y quien la entregue, se salvará.* Aisha lo amaba y admiraba ¡por nada! ¿Qué acto heroico había realizado para ella? ¡Ninguno! Se decidió. Comenzó a quitar los ladrillos.

—El amor "sentimental" —dijo entre dientes—... es interesado, convenenciero, y falso —se halló de nuevo con ladrillos apretados e inamovibles; hizo un esfuerzo por quitarlos—, el amor "dirigido" por la voluntad, en cambio, es arriesgado, todo lo sufre, todo lo cree, todo lo espera.* Dios mío. ¡No puedo mover esto!

Con inaudita rapidez se había quedado sin una gota de energía. El boquete tenía ya unos treinta centímetros de diámetro pero no le quedaban fuerzas ni para asomarse en él. Volvió a recargarse.

Los documentos reaparecieron en su mente como una vieja transparencia.

Dirige el amor hacia los demás.

Al comprender que tú eres especial y única, comprenderás cuán especiales y únicas son las otras personas también. Reconoce en otros el mismo *valor de originalidad* que tú tienes.

No hables mal de los demás. Hay una costumbre femenina de ver lo malo de la gente, criticar los vestidos, los peinados, las conductas y los errores del prójimo. Muchas tienen la tendencia de recelar de otras y ser enemigas de su propio género. ¡Jamás lo hagas!

Aléjate de las mujeres ostentosas que se la pasan hablando de sus viajes, riquezas y frivolidades. Miles de matrimonios han sucumbido cuando la esposa, llena de frustración, comienza a humillar a su marido por ganar poco dinero o por darle menos lujos que los alardeados por sus amigas.

Rompe con ese estigma de mujer superficial y envidiosa.

Como esposas, las mujeres superficiales valoran la seguridad por encima de la dignidad, de modo que empujan al hombre a "ganarse la vida como sea", para que cumplan con su prehistórico papel de abastecedores.

Ahora, esfuérzate por comprender el siguiente concepto. Muchas mujeres tienen una franca rebeldía contra él. Aunque te incomode, es de vital importancia:

Los hombres de tu vida también son valiosos y especiales.

Tu esposo no es femenino (ni debe serlo). Quizá no sabe leerte la mente, no es muy cariñoso ni participa de forma activa en la crianza de los hijos; quizá olvida las fechas importantes, no mantiene conversaciones detalladas, ni disfruta comprando ropa, pero aún así es el líder de la casa. Por más que te moleste la idea, él necesita que lo respetes. Tú no eres su mamá. Tu papel de esposa no es educarlo ni controlarlo, sino apoyarlo y ayudarlo a ser cabeza.

¡Si quieres un hombre fuerte y decidido a tu lado, no le exijas que se comporte de manera femenina! Dale su lugar y no trates de disminuirlo. ¡Enaltécelo! Necesita sentirse el capitán del barco; lo tiene grabado en sus genes. Tal vez, a fin de cuentas, tú dirijas el rumbo en muchos aspectos, pero sé inteligente y déjalo a él proponer las cosas y decir la última palabra. No le robes la hombría, no lo castres, ni lo obligues a doblar la cerviz.

Que tu boca de mujer siempre bendiga a tu marido. Cuando lo veas trabajar y detectes fallas, dirígete a él sólo para una de estas tres cosas: La primera, darle consejos; la segunda darle consuelo; la tercera darle ánimo. Si vas a decir algo distinto, mejor calla.

Gary Chapman, autor de varios libros, asegura que existen *sólo cinco* maneras de dirigir el amor hacia los demás.[2] Identifica cuál de ellas es la más apreciada para cada uno de tus seres queridos y aplícalas de forma consciente:

1. **PALABRAS DE AFIRMACIÓN:** frases de apoyo como "sé que has trabajado muy duro", "te felicito por lo que hiciste", "me encantó lo que compraste", "te ves muy bien", "gracias por invitarnos a este lugar", "aprecio tu esfuerzo".

2. **CONTACTO FÍSICO:** Abrazos, besos, caricias, palmadas... Aunque son muy importantes para los niños, siguen siendo igual de importantes para algunas personas mayores.

3. **TIEMPO DE CALIDAD:** Dedicarse a la otra persona por completo para charlar sin prisas, invitarla a salir a solas, o realizar actividades juntos con el único objetivo de convivir e intimar más.

4. **REGALOS:** A todos nos gustan los regalos. Al recibir uno pensamos que alguien se acordó de nosotros cuando estaba lejos. Hay para quienes recibir regalos es su forma preferida de amor.

5. **ACTOS DE SERVICIO:** Hacer trabajos con intenciones de ayudar a la otra persona es una forma importante de demostrarle amor. Bañar a la mascota, lavar los platos, reparar desperfectos, limpiar cajones, organizar los libros...

Cada persona prefiere dos o tres formas de recibir amor. Nosotras mismas también. Es necesario identificarlas, hablar de ellas, pedirlas y darlas.

Eso es el amor dirigido a los demás.

El suelo se movió con brusquedad.

Leonardo abrió los ojos y se concentró en las trepidaciones.

2 Gary Chapman. *Los cinco lenguajes del amor*. Unilit. Miami 1996

¿Qué tipo de maquinaria estaban usando allá afuera? ¿Acaso no sabían que podían matar a los pocos sobrevivientes si seguían provocando temblores?

De pronto y sin ninguna razón aparente la pared que separaba a los dos hermanos se quebró y asentó; el agujero por el que hablaban quedó cerrado por completo de un pesado y mortal golpe. Leonardo guardó el aliento, asustado. ¡Él acababa de sacar el brazo de ahí!

El muro continuó rajándose por varias partes, dejando ver el esqueleto metálico que lo sostenía. Entonces se abrió una nueva grieta como de treinta centímetros en la parte superior. Esta vez el agujero era suficientemente grande para...

Estiró el cuello todo lo que pudo y trató de mirar a Aisha. Identificó la forma de una cabeza con cabello largo cubierta de tierra por completo.

Levantó la vista y vio algo extraño en el techo bajo el cual estaba su hermana. ¡De forma insólita asomaba la figura de un refrigerador oxidado, amenazando con desplomarse!

—¡Oh, no! —cualquier error, cualquier descuido de parte de los rescatistas haría que la mole de hierro se desprendiera.

Los ruidos cesaron otra vez. Leonardo aguzó el oído. ¿Qué estaba ocurriendo? Quizá afuera las brigadas de salvamento apagaban las máquinas de vez en vez para pedir a los voluntarios que guardaran silencio tratando de identificar señales de vida. Seguramente estaban removiendo escombros como si practicaran una delicadísima operación quirúrgica en un enorme cuerpo cuyo sistema era imprevisible. Necesitaban mover con cuidado grandes bloques con los aparatos mientras, a mano, quitaban las piedras menos pesadas.

De pronto volvió a escuchar la voz de su hermana apacible y distante, sostenida por un aliento sobrehumano.

—Leonardo. Necesito decirte algo muy importante.

18

¿QUÉ QUIERO?

Continuaba con la sensación de que cada palabra podría ser la última, cada aliento la última bocanada de aire, cada contacto con la mano de su hermana la última caricia de un ser vivo.

—Leonardo, me voy a morir.

—No digas eso.

—La sed que tengo es insoportable.

—Yo también, hermanita. Ya falta menos. Aguanta. Los martillazos de afuera cada vez se oyen más cerca. Vamos a salir vivos.

—¿Y el cuaderno?

Lo buscó entre las piedras con la mano.

—Aquí va... ¿Ya te diste cuenta de que nuestro agujero desapareció? Ahora hay otro acá arriba.

—Sí.

Leonardo estiró el brazo. No tuvo que hacer rollo el papel. Cabía a la perfección. Lo pasó del otro lado. Después de un intervalo larguísimo, ella se lo devolvió.

Había trazos grandes y frases incompletas.

Él se esforzó por leer, pero no entendió mucho. Las oraciones estaban truncadas.

—¿Qué escribiste, hermana?

Oyó una respuesta extraña, con una voz mucho más ronca.

—Yo no soy tu hermana.

—¿Perdón?

—Entiéndelo de una vez. Hubo una guerra nuclear. Todas las ciudades están destruidas.

El golpeteo del exterior reanudó. Lo que parecían martillazos y desplazamiento de grandes piezas de concreto retumbaba haciendo vibrar el suelo.

—No te rindas ahora, Aisha. Vuelve a la realidad.

—Somos enemigos. Tú perteneces a otro ejército…

—Tranquila. Pronto nos van a sacar.

—Afuera hay radiación… El agua está contaminada… los animales murieron.

Cientos de guijarros comenzaron a filtrarse de nuevo serpenteando por los escombros. Algunas piedras grandes dejaban de deslizarse, acumulándose por encima de sus cabezas, tapando los huecos por donde entraba la luz, pero eran removidas por nuevos desplazamientos entre detonaciones, tronidos y repiqueteos constantes.

—¡Están cayendo trozos de concreto! Trata de encogerte lo más que puedas.

Después de cada derrumbe bastaba esperar un rato para que la tierra se asentara. Ahora las filtraciones de polvo eran interminables.

—¡Cúbrete todo lo que puedas, Aisha, hay que resistir, ya falta poco!

—¿Por qué me dices "Aisha"?

Muchas piedras se acumulaban a su alrededor, estrechando el espacio. Las alucinaciones ayudaban a su hermana a evadirse del peligro inminente. Él insistió en ayudarla a volver a la realidad.

—¡Ahora es cuando más hay que luchar por nuestras vidas! ¡No tardarán en encontrarnos!

—Sí...

Cada ruido, cada martillazo eran una esperanza y una amenaza al mismo tiempo. Leonardo ardía en deseos de dar señales a la gente que estaba afuera, pero no podía hacer nada.

—Aceptar la muerte es difícil —dijo ella con el tono susurrante y confidencial de antes—. Pero morir es hermoso; ya no hay dolor ni enfermedad, es posible respirar los rayos de luz y las personas nos volvemos luminosas. La muerte es un nuevo día. No hay desesperación, no hay soledad, sólo paz, mucha paz…

—Qué bueno que volviste a la realidad, hermana.

—Sí… Lo que ojo no vio ni oído oyó, ni ser humano jamás pudo imaginar… es el sitio que se nos tiene reservado a todos los que amamos a Dios…* y yo lo amo… Voy hacia ese lugar que ninguna persona podría describir…

—No digas eso. Nosotros viviremos.

—Leonardo. Aquí hay un calor muy agradable. Una fogata que comienza a mantenerme calientita. No tengo miedo de llegar hasta el final. Los ángeles regresaron. Ahora son tres. Ellos me van a llevar a casa…

—Espera. ¡No aceptes eso! ¡Diles que quieres permanecer viva, en esta Tierra! Diles que deseas abrazarme y charlar conmigo. Diles que eres joven y tienes mucho amor que dar, mucha ayuda que brindar a otras mujeres.

—No lo sé.

—Sí. ¡Díselos! Los ángeles te van a oír.

—Ellos son servidores.

—Habla con el Señor, entonces. Hermana, tienes que luchar. No puedes dejarme. Sólo te tengo a ti.

—Sí... yo también sólo te tengo a ti... Ayúdame. Pídele tú a Dios que me deje vivir.

Leonardo comenzó a respirar agitadamente. Tosió y tembló. Mover murallas espirituales, era algo que no sabía hacer. Jamás había aceptado aprender y practicar el poder de la oración, pero si en realidad existía, ahora lo necesitaba. Era imperioso aplicar esas ideas. ¡Lo que fuera con tal de mantener viva a su hermana!

—Dios mío —gritó—, ¡ya deja de vernos sufrir y haz algo! ¡Tienes que hacer algo! Muévete. Demuestra tu presencia... Si estás viéndonos, no te quedes ahí, quieto ni tampoco te atrevas a llevarte lo poco que me queda...

Comenzó a llorar. ¿Qué clase de oración había sido esa? ¿Estaba amenazando a Dios? ¿Poniéndole condiciones?

—No... no —sollozó.

Revivió la imagen de las páginas de estudio para mujeres.

Amor dirigido al Creador.

Aunque con la fe vivencial invocas a Dios, visualizas tus deseos y te proteges del mal, de alguna forma usas ese poder sólo *para tu conveniencia...*

Cuando la multitud seguía a Jesús, después de que él los alimentó en la montaña, les dijo: ustedes me buscan porque comieron hasta llenarse y no porque hayan entendido los milagros en su vida. No busquen sólo la comida que se acaba sino la que permanece para siempre. Ésa es la comida que les dará el Hijo del hombre porque Dios, el Padre, ha puesto su sello en él.*

Al dirigir tu amor al Ser Supremo te das a él sin condiciones, aceptas su voluntad, dejas de cuestionarlo y de exigirle para gozarte en su presencia. Sólo haciendo esto lograrás vivir la alegría infinita de su amor recíproco.

Leonardo dio una bocanada de aire viciado con tierra y gimió.

—En todo este tiempo te he pedido cosas. Te he gritado, suplicado, demandado... Pero nunca te entregué mi corazón... Oh Dios. ¿Quién soy yo para exigirte nada? Perdóname...

Todo ese tiempo en el filo de la muerte, armando teorías para comprender a Dios y buscando la salida de un laberinto inextricable, no se dio cuenta de que la solución estaba frente a él. Era obvia. La había leído hacía tiempo en un poema de Calderón de la Barca. Nunca intentó memorizar la poesía pero en ese momento le vino a la mente de forma extraña.

Las palabras salieron de lo más profundo de su corazón en una plegaria que no necesitaba ser gritada, pero que con toda seguridad se escuchaba hasta los confines del tercer cielo.

—De acuerdo... Me entrego a ti. ¿Qué anhelo? Ser tuyo. ¿Qué deseo? Ser tocado por ti... Sólo un pequeño toque... ¿Qué quiero, mi Jesús?... Quiero quererte; quiero cuanto hay en mí, del todo darte sin tener más placer que el agradarte, sin tener más temor que el ofenderte. Quiero olvidarlo todo y conocerte. Quiero dejarlo todo por buscarte. Quiero perderlo todo por hallarte. Quiero ignorarlo todo por saberte. Quiero, amable Jesús, abismarme en ese dulce hueco de tu herida, y en sus divinas llamas abrasarme. Quiero, por fin, en ti transfigurarme. Morir a mí, para vivir tu vida. Perderme en ti, Jesús, y no encontrarme.

Al terminar de hablar, comenzó a percibir un alivio interior muy extraño... recordó las palabras de Denise al perder a su bebé, cuando le dijo que en la tormenta sentía una paz incomprensible porque el Padre del cielo la abrazaba, la consolaba y le decía que el mal no tenía poder sobre ella y que, a la larga, todo obraría para su bien. Entonces, al fin se abandonó con fe.

—Señor… Dirijo mi amor hacia ti. Si quieres llevarte a mi hermana, hazlo. Te la entrego, porque no es mía… es tuya… También yo lo soy… Ya no me interesa salir vivo de aquí. Me interesa hacer tu voluntad. Me interesa amarte, complacerte… Lo que tú digas lo acepto…

Fue entonces cuando algo o alguien quitó un pedazo de loza unos metros a la izquierda. Aunque la abertura se produjo lejos de él, la luz inundó el espacio y Leonardo tuvo que entrecerrar los ojos para que sus retinas no se lastimaran por el deslumbramiento.

Eso no era una alucinación. Era real.

Si hubiese ocurrido unas horas antes, él habría reaccionado con gran euforia…

Ya no.

Estaba tranquilo como un bebé que ha decidido acurrucarse para dormir. Pasara lo que pasara, sabía que estaría bien.

Había paz en su corazón.

Después de un rato quiso introducir la mano en el agujero para buscar a Aisha, pero ahora su hermana había quedado inaccesible.

19

NECESITO QUE ME VEAS

La luz había entrado de forma lateral a la precaria cueva y se oyó un golpeteo, como si alguien estuviera esculpiendo la piedra justo encima de Leonardo. Comenzó a escuchar ruidos aquí y allá, sonidos difíciles de identificar. Al fin, una voz masculina:

—¡Acá hay un niño, tengan cuidado!

—¡Muevan esa loza!

—¡Las cuerdas!, ¡denme más extensión!, ¡no alcanzo a llegar!

Gritos anónimos se mezclaban con ladridos de perros. Leonardo percibía a las personas como si estuvieran a su lado, pero no podía verlas. Miraba hacia arriba, con la nariz adelantada, como queriendo olfatear sus posiciones, hasta que escuchó ruidos de gente arrastrándose por el techo, moviendo piedras, el tintineo de metales chocando contra las paredes, un lamento de dolor, preguntas que no alcanzaba a entender.

—¡Camilla, camilla! —dijo una voz, seguida de otras, confundiéndose y neutralizándose entre ellas.

—No cabe, ¡acércate más!

—¡Hay espacio aquí dentro! ¿Puede entrar otro a ayudarme?

Leonardo sólo podía imaginar lo que ocurría por encima de su cabeza. Ya casi llegaban hasta ellos, pero en su recorrido en busca de sobrevivientes habían encontrado a los habitantes del piso superior y ahora estarían ocupados rescatándolos. Se asomó por entre la grieta que lo comunicaba con Aisha, justo a tiempo para ver cómo desaparecía el refrigerador suspendido sobre ella, jalado por manos invisibles. Se desprendieron unos cuantos guijarros.

Pasaron más de treinta minutos antes de que el bullicio externo menguara. Después de varios intentos, pudo susurrar:

—Aisha, ¿me oyes...? ¡Anímate, por fin llegaron! ¡Vamos a salir!

—Leonardo... —respondió ella—. El cuaderno, por favor...

Lo buscó entre las piedras. No lo encontró.

—¿Qué quieres decirme?

—¿Puedes verme? ¡Necesito que me veas antes de salir de aquí! Me estoy levantando un poco...

Él se irguió.

—Sí... Pareces una momia. Estás llena de tierra. Apenas distingo tus rasgos.

Ella se sacudió.

—Mírame bien.

Sintió que una oleada de terror lo invadía lentamente al definir las formas. Apenas pudo susurrar.

—¡No... no es cierto!

Bajó la cabeza y comenzó a respirar con violencia. Su presión sanguínea aumentó. Movió la cara lleno de pavor. Jamás había imaginado que vería eso. Era un espejismo. ¡No podía ser verdad! ¡Estaba soñando otra vez! El cerebro le estaba jugando otra broma cruel...

Recordó las palabras que cruzó con Aisha, horas atrás.

—Tuve una especie de explosión en el cerebro que afectó mi cuerpo... El aspecto que tengo es muy distinto al que recuerdas. Cuando me veas no lo vas a creer.

—Te aceptaré y amaré sin importar lo que te haya pasado. Eres mi hermana.

—No, Leonardo. Ni siquiera te imaginas.

En efecto, lo que acababa de observar sobrepasaba su más descabellada imaginación. ¿Cómo era posible? ¿Qué estaba ocurriendo? ¡Ninguna pieza encajaba!

—Dios santo —murmuró—, ¿qué es esto? Por favor... ¿Me estoy volviendo loco?

Después de un rato abrió los párpados y con lentitud se asomó de nuevo al boquete para tratar de corroborar las formas, pero Aisha se había vuelto a acostar y sólo pudo observarla parcialmente. Quiso pedirle que se irguiera de nuevo y prefirió no hacerlo. Se dijo:

—Fue un engaño de mi cerebro. Una cruel alucinación... Mi hermanita está bien. Está aquí. Va a salir viva conmigo...

Su voz se perdió hasta que volvió el silencio, seguido de inmediato por sonidos confusos. Ruidos de motores que rugían, acelerados a su máxima potencia, golpes de picos o palas. Cada vez más fuertes, cada vez más cercanos.

Súbitamente, por entre las montañas de escombros, vio aparecer unas manos y, de inmediato, el rostro de un hombre cubierto con tapabocas.

Los ojos del rescatista se abrieron, asombrados al ver a Leonardo. ¡Lo tenía a menos de un metro de distancia!

—¿Qué tal, amigo? —le preguntó con el falso tono casual que quizá formaba parte de su código de instrucción para lidiar con situaciones extremas.

Leonardo sólo atinó a mover la cabeza.

El hombre echó una mirada de reconocimiento. Desapareció un momento y luego volvió a asomarse.

—No se apure, ahorita lo sacamos. Vamos a cortar unas vigas que nos impiden llegar hasta donde está. Si puede tápese las orejas. No se desespere.

Leonardo se resignó al estruendo. Pasados unos minutos, vio muy cerca de él las chispas que producía la fricción de los metales. La cabeza del hombre reaparecía de cuando en cuando, gritando:

—¡Más! ¡Viene! ¡Ahí bueno, hasta ahí!

Una mano lo aferró del brazo.

—¡Tranquilo! ¡No se mueva mucho! Trate de agarrarme, voy a jalarlo.

Quiso decir que su pierna estaba rota y que no tenía fuerzas, pero sólo emitió un largo quejido.

—Ya vi que está lastimado. Lo voy a sacar con cuidado.

Leonardo señaló hacia el otro lado de la pared. El rescatista le adivinó el gesto.

—¿Hay más gente aquí?

Asintió.

—Lo vamos a sacar a usted antes, para tener espacio.

El hombre resoplaba del esfuerzo tratando de arrastrarse centímetro a centímetro. Al fin apresó a Leonardo por la cintura y lo rodeó con una especie de faja. Dos segundos después, la luz del día y el aire fresco lo envolvieron. Quiso gritar. Como su boca no se movía, lo hizo con la mente.

—Oh… gracias, gracias, gracias, gracias, gracias, gracias.

Le pusieron sobre una camilla improvisada y lo auscultaron con cuidado, después le colocaron una mascara de oxígeno mientras otros le entablillaban la pierna y le sujetaban la espalda para proteger su columna vertebral.

Muchos rostros lo miraban, le hacían preguntas que no lograba entender, se oían aplausos... Infinidad de aplausos, gritos de alegría y entusiastas frases para darle ánimo.

¿De dónde había salido tanta gente? Paramédicos, bomberos, voluntarios, periodistas. Casi todos estaban llenos de polvo y cargaban cadenas, cuerdas, cubetas; sorprendentemente felices de verlo, saludando su salida como si fuera un héroe. Los que llevaban cámaras fotográficas colgando del cuello eran los únicos que se veían agresivos, empujándose unos a los otros, esquivando a los paramédicos quienes se interponían para tratar de protegerlo, pero Leonardo no se asombraba ni se complacía con nada de eso. Le pidió a un rescatista que se acercara a él y quiso hablarle.

—Mmmmmm —tenía los labios pegados como con engrudo.

Le quitaron la máscara de oxígeno.

—No le entiendo.

Se esforzó y logró articular.

—¡Mmm-hrmna!

Aunque decir eso le resultó toda una proeza, apenas logró hacerse oír.

—¿Su hermana, dice?

Asintió

—¿Está allá adentro?

Volvió a mover la cabeza.

—¿Seguro?

Se desesperó. No lograba comprender lo que le ocurría. ¿Por qué mientras estuvo encerrado, aunque sus fuerzas fluctuaron, siempre le fue posible conversar con Aisha, y ahora, por fin libre, estaba como mudo? Trató de gritar: "Mi hermana está viva. ¡Sáquenla!", pero de su garganta sólo salió un largo y patético "jeeeeeeeeeee".

Comenzó a preocuparse.

El paramédico le aplicó una inyección intravenosa. De inmediato sintió que respiraba mejor y su vista nublada se enfocaba.

A los pocos minutos, vio de reojo que sacaban un cuerpo desmayado. ¡Era Aisha! ¡Al fin! La llevaban cubierta por una sábana desgarrada, manchada de sangre. Tenía los brazos flojos, sin consistencia. Una mano le colgaba bailando en el aire.

—Porrfavr... —suplicó con más claridad—, dgame sss estáviva...

El medicamento que le inyectaron seguía reanimándolo. Quiso levantarse y correr hacia ella, pero sólo logró mover la cabeza, para dejarla caer de nuevo.

—¡Tranquilo!

—¡No! —protestó—. Yyyo stoybien ¡Ayuden a ella!

A su izquierda sintió la mano de alguien que lo llamó por su nombre, conmovido.

—¡Leonardo! ¿Eres tú? No puede ser ¿Qué haces aquí? ¡Dios mío! ¿Por qué estabas ahí dentro?

Giró la cabeza. También él se asombró. Era inaudito. ¿Otra vez estaría alucinando?

—¡Papá!

Perdió el poco color que había recobrado y el paramédico comenzó a gritar.

—Por favor, los mirones, háganse a un lado.

—Yo no soy un mirón, soy familiar...

—Sí, señor, pero no nos estorbe.

—Quiero ayudar.

—Entonces venga.

Condujeron a Leonardo hasta un lugar más despejado.

—La ambulancia está por llegar —comentó el paramédico—. Esperen aquí. Yo regreso en unos minutos. Siguen hallando gente.

—Claro.

Leonardo vio a su papá de cabeza y el rostro se le contrajo.

—¿Qué tienes, hijo?

—Aceércte.

Levantó lentamente las manos.

Quizá el hombre se había unido a las brigadas de rescate en un deseo de hallar vivas a su esposa y a Aisha, pero jamás se imaginó que encontraría a su primogénito. Por su parte, Leonardo, a quien menos imaginó que hallaría al salir de ahí sería a su papá...

—¿Qué quieres?

—Vvven. Acércate más.

Entonces el joven abrazó al viejo con todas las fuerzas que tenía. No quiso preguntar ni decir nada. Él había vuelto a nacer y entre todas las cosas fantásticas de estar a salvo, podía ver a su papá con un corazón nuevo.

El hombre se separó del muchacho y se limpió las lágrimas.

—Qué bueno verte, hijo. De veras no esperaba...

—Papá... —susurró Leonardo con total nitidez al fin—, hazme un favor.

—Dime.

—Regresa donde estuve enterrado y busca un cuaderno de notas. Es importante. Te escribí una carta.

La ambulancia llegó y Leonardo fue subido a ella. Le inyectaron otro medicamento que acabó de reanimarlo. Antes de que el chofer arrancara, su padre lo alcanzó. Traía consigo varios cuadernos rotos llenos de tierra.

Se sentía mucho más energizado. Los tomó con ansiedad.

—Sí, a ver. Es éste, papá... ¡gracias! ¡No, espera! Déjame revisar el otro. ¿Y éste? ¡Caramba! ¡Los tres tienen hojas escritas! Guárdalos, por favor. Son un tesoro para mí.

—¿Por qué ?

—Es lo que nos mantuvo vivos durante todo este tiempo.

—¿Cómo? Leonardo tienes que explicarme...

Un paramédico se acercó.

—Voy a cerrar la puerta de la ambulancia. Debemos ir al hospital.

—Yo estoy bien, pero dígame. ¿Vio a la señorita que acaban de sacar?

—Han sacado a varias personas. Todas están graves. Usted también. ¡Mire esa pierna! La infección lo puede matar.

El señor Villa se separó.

—Voy corriendo por el carro. Iré detrás de la ambulancia. Te veré en el hospital, hijo.

Leonardo vislumbró el edificio derrumbado por última vez. No era más que un montículo enorme de rocas y tierra. ¿Cómo pudo quedar atrapado debajo de todo eso y salir para contarlo? Aspiró el aire puro, pero los dolores crecientes le impidieron disfrutar la sensación de plenitud.

En el camino al hospital, los paramédicos le platicaron sobre las proporciones del sismo. Aunque estaba muy interesado en escuchar, fue cayendo en un estado de total laxitud. Con la mascarilla de oxígeno sobre su cara, se dejó ir, disfrutando la frescura de la sábana y la suavidad de la camilla. Antes de llegar al hospital, ya había perdido la conciencia.

20

LAS LIBRETAS

Fue sometido a una cirugía reconstructiva del fémur. Cuando salió del quirófano su mente adormilada le decía con absoluta certeza que el rescate había sido un sueño y que en cuanto despertara se encontraría atrapado de nuevo bajo la horrenda cárcel. Así que aun después de que pasó el efecto de la anestesia, se esforzó en permanecer dormido. Las enfermeras tuvieron que moverlo varias veces, hablarle con fuerza y hasta sacudirlo.

Escuchó una voz masculina.

—¡Leonardo, despierta!

—¿Quién eres?

—Tu papá. Abre los ojos.

—No… Estoy bien así.

—Leonardo, mira. Nos encontramos en una enorme sala de recuperación. Hay muchas personas en camas alrededor. Todas han sobrevivido al terremoto, pero algunas están muy mal. Tú no. Por aquí todos te dicen el "suertudo". Te recuperarás por completo.

Poco a poco se atrevió a separar los párpados. Era verdad. ¡Estaba a salvo! Varios doctores y enfermeras caminaban de un lado a otro tratando de atender a los heridos más graves o a los más quejosos. Miró a su padre. Ya no tenía la prominente barriga que lo había caracterizado.

—Estás muy delgado —le dijo—. ¿Hiciste dieta?

—No, hijo. Me dio diabetes.

—¡Diabetes! ¿Por qué?

—No lo sé.

—Oh…

—En los últimos años mi vida ha sido una resbaladilla cuesta abajo.

—Bueno, dicen que cuando tocas fondo ya no te queda otra opción más que ir hacia arriba… A mí me pasó algo así… y por lo que supe, a mi hermana también.

—Sí.

—Mamá me dijo que te fuiste de la casa —entonces reaccionó, como si de pronto sus neuronas comenzaran a recibir irrigación sanguínea—. ¡Espera! ¿Mamá está bien? ¿No sabes de ella? Cuando el terremoto comenzó… ¡Oh Dios! Ella corrió y yo me regresé. ¿Mamá se salvó? ¿No la viste?

Su padre asintió de inmediato para que Leonardo dejara de angustiarse.

—Sí. La vi. Tu madre fue una de las primeras personas que sacamos. Por desgracia estaba malherida. Una losa le cayó en el vientre y tuvo entallamiento de algunas vísceras.

—¿Murió?

—No.

—¿Va a morir?

—No sé… La operaron ayer. Fue una intervención quirúrgica de varias horas. Es irónico; en desastres como éste, abundan donadores de órganos. Los médicos me explicaron que tuvieron que rehacerla por dentro. Aún se halla en estado crítico, pero hay esperanzas.

—Dios mío —dijo al darse cuenta de que las calamidades no habían concluido—. ¿Mamá se encuentra en este hospital?

—No. En cuanto te repongas te llevaré a verla.

—¿Pudiste hablar con ella cuando la sacaron?

—No.

Leonardo observó a su padre. Se veía muy extraño con esa delgadez enfermiza, y aunque conservaba el tono de voz imperativo de los que acostumbran mandar, había en su rostro una ligera timidez totalmente impropia de él. Traía las libretas bajo el brazo.

—¿Esos son los cuadernos que sacaste de los escombros?

—Sí, perdón. Aquí están. Los limpié lo mejor que pude.

—¿Revisaste alguno?

—No.

Leonardo los tomó y los puso sobre sus piernas.

—Papá —se atrevió a decir con mucha seriedad—, tú destruiste nuestra familia.

El hombre se quedó rígido. Luego susurró:

—Sí… lo sé… Dime lo que quieras…

—Cuando estuve enterrado vivo, reflexioné muchas cosas… Pensé en ti. Visualicé todo lo que nos diste y nos quitaste. Luego llegué a la conclusión de que no puedo renegar de ser tu hijo. No soy nadie para juzgarte. Eres mi padre y te quiero.

—¿Cómo dices?

—Te perdoné.

Lo tomó de la mano y lo apretó con fuerza. Se observaron en silencio y en los ojos lacrimosos de ambos vislumbraron las posibilidades truncadas de su familia. Leonardo imaginó que era un niño pequeño ciñendo la mano del papá que admiraba. De un modo misterioso, el contacto le ayudó a tender un puente, una nueva comunicación, una consoladora forma de entendimiento con el hombre más odiado y más querido de su vida.

Soltó su mano y volvió a los cuadernos.

—Necesito que leas algo, papá...

Comenzó a repasar las hojas. Al hacerlo, sus manos temblaron.

En una de las primeras páginas había varios rayones, y luego una frase suya:

Dime si puedes leerlo...

La letra era grande en extremo. Siguió explorando.

Aisha, ¿ves algún camino por donde podamos salir?

Te noto muy espiritual, Leonardo. ¿Ahora sí crees en Dios?

A ratos me invade el pánico.

Tienes que limpiar tu corazón. El rencor te está matando.

Conforme avanzaban en las páginas hallaba letras más ilegibles y frases inconexas.

Mujeres conquistaa Denise ¿por qué? trabajé ayudanndo. Vi casos conmovedoreas.

Siguió buscando la carta que escribió para su padre, pero casi todo comenzó a resultar ininteligible. Tal vez su vista estaba fallando. Aspiró y volvió a analizar el cuaderno. Pasó los dedos por los signos incomprensibles, como para tratar de ordenarlos:

...Méxxxicco... Aishad... Amgia... Muytarde... sSolaA... ayyudNecesitaba... Tu madree. DivvorCciarme... ON... lleGgué... Esperááandt... ohsped...

No entendía nada. Siguió buscando con ansiedad; había renglones claros y legibles, pero la mayoría eran palabras sueltas:

...No... deccirteeeverdad... tomastsse... mManO... dijisteAisha... Estaba feliz... Cccontigo... imaginenara...

En muchas páginas se repetía el mismo patrón: signos, rayones, líneas que cruzaban a lo largo. ¿Cómo fue que, en aquel lugar oscuro, incómodo, con miedo y lleno de polvo, pudo leer con tanta facilidad lo que Aisha le había escrito? ¿Habría sido una intuición aguzada por la situación extrema? ¿Una suerte de telepatía que lo ayudó a suplir lo que no alcanzó a comprender?

Su doctor se acercó para tomarle los signos vitales.

—Va muy bien. ¿Cómo se siente? ¿Tiene hambre?

—Mi estómago está cerrado.

—Es normal. Lo estamos hidratando por la vena. Comenzará con una dieta blanda y pronto estará comiendo barbacoa.

—Gracias —sonrió.

—Mucha gente se ha alegrado de usted; se ha convertido como en un símbolo; en una prueba de que todavía puede haber más sobrevivientes. Incluso entre el personal del hospital existe incertidumbre por amigos y familiares desaparecidos.

—¡Sí! —se incorporó—. ¡Yo también tengo a un familiar perdido! ¿Cómo puedo saber…?

—Tranquilícese. Acaba de despertar de la anestesia y su cuerpo está lleno de antibióticos. Debe relajarse y recuperarse. En unas horas podremos ayudarlo a encontrar a su familiar.

—¿A todos los heridos los traen aquí?

—No necesariamente. Hay decenas de sanatorios y centros de ayuda médica en toda la ciudad. Su familiar puede estar en cualquiera de ellos.

Leonardo se derrumbó en la cama. El médico fue a atender a otro paciente.

—Ya te dije que yo sé dónde está tu mamá; te llevaré después —comentó su padre con voz baja en cuanto se quedó solo con Leonardo—. ¿A quién más buscas?

—¿Cómo que a quién? ¡Pues a Aisha!

—¿A Aisha...?

—¡Claro! Ella estaba conmigo debajo de los escombros.

—¿De verdad, hijo? ¡Eso no puede ser!

—¿Por qué?

—Hasta la semana pasada tu hermana se encontraba en el hospital, conectada a varios aparatos. Yo la vi.

—Pues la dieron de alta sin avisarte, papá, porque hace tres días cuando llegué a casa, ella estaba dormida en su recámara. Después quedamos atrapados y estuvimos comunicándonos a través de una grieta. Mira… Mira los cuadernos. Hay muchas hojas con su letra. Ve. Es distinta a la mía. Esto no se entiende, pero algunas frases sí. Aquí dice: "Perdona y pide perdón", yo le contesté "a quién" y ella me dijo "a las personas que has dañado y te han dañado".

El hombre estiró la mano como asustado y hojeó las páginas.

—Esto es imposible.

—Papá, tú no sabías que yo estaba ahí atrapado. Viste salir a mamá. ¿A quién más buscabas si no a mi hermana?

—Buscaba a cualquier sobreviviente. A quien fuera.
—¿Entonces Aisha…?
—Se halla en… estado de…
—Sí. En coma, por una sobredosis de droga sintética. Ella me lo contó.
—¿Cuándo?
—¡Papá, te digo que estuvimos juntos durante dos días y dos noches!
—No. Leonardo.
—¿Entonces cómo te explicas esto?
La determinación con la que su padre dijo la siguiente frase lo sacó de combate.
—Había otra persona allá abajo, contigo…
Una repentina oleada de escalofríos lo puso a temblar.

Todo es una ilusión.
Las apariencias son engañosas.
No sabes con quién estás hablando.
¡Resiste, Aisha, ya falta poco!
Yo no soy tu hermana.
Eres mi hermana y te quiero como sea…
Cuando nos saquen y me veas, prométeme que no te vas a asustar…
No me importa tu aspecto. Te querré igual.
¿Por qué me dices "Aisha"?

Tenía los puños crispados a la altura del pecho.
Salió del estupor, cogió un cuaderno y pasó las páginas con rapidez, casi arrancándolas; al mismo tiempo decía:
—¡Yo hablé con ella! ¡Escuché su voz, papá! ¡Y aquí están sus palabras!
Esgrimía las hojas, pero no podía ver bien. La habitación

comenzó a dar vueltas, un súbito dolor de cabeza se apoderó de él y sintió que estaba a punto de desmayarse.

—Espérame unos minutos, hijo. Voy a llamar por teléfono al sitio donde debería estar Aisha.

En cuanto su padre salió de la habitación, Leonardo desató las correas que le sujetaban la pierna enyesada, se arrancó la manguera de suero y se puso en pie. Brincando sobre la pierna sana alcanzó a caminar tres metros. Se sentía muy mareado. Estuvo a punto de caerse, cuando una enfermera corrió a sostenerlo.

—¡Regrese a su cama, usted no puede caminar!

Leonardo se resistió.

—No... No entiende, señorita. Tengo que...

El médico se acercó corriendo por el pasillo.

—¿Qué ocurre?

—¡Doctor, por favor ayúdeme! Necesito saber dónde está mi hermana...

—Tranquilícese. Vuelva a acostarse.

—¡Se llama Aisha Villa!

—Yo la buscaré —dijo la enfermera—, pero prométame que no se moverá. Voy a ver la lista de los que han llegado y regresaré a avisarle.

—No puede ser tan difícil. ¡La sacaron justo detrás de mí! Mire, doctor. ¡Estuvimos hablando todo el tiempo, nos escribíamos en estos cuadernos!

Se los extendió al médico, quien abrió uno de ellos con curiosidad. Pasaron varios segundos. Los ojos del doctor iban de una página a otra.

—¿Usted escribió esto?

—Sí, también ella. No nos habíamos visto en cuatro años. Le conté lo que había pasado en mi vida, y ella también... Me dijo muchas cosas importantes. ¡Puede leerlo en voz alta para cerciorarse!

La mirada del doctor era dubitativa. En un esfuerzo por calmar la desesperación del paciente, comenzó a decir:

—Aquí hay sólo palabras sueltas. Rayones… Aunque, bueno… en algunas páginas las frases se entienden mejor…

—Lea algo.

—"Necesito que me… me a…" ¿abraces?, Sí. "Necesito tu… tu calor. Te amo con todo el corazón…"

Leonardo se quedó impávido.

—¿Eso dice?

—Sí.

Apretó los dientes… Una taquicardia extrema lo hizo trepidar. Puso las manos en su pecho. ¡Él lo supo desde el momento en que se asomó por la grieta poco antes de que los rescataran, pero se negó a aceptarlo! ¿Cómo pudo ser tan ciego?

En ese instante su padre irrumpió a toda velocidad. Tenía la cara circunspecta y estaba mortalmente preocupado. Sin más preparativos anunció:

—Aisha sigue internada en el sanatorio al que ingresó hace seis meses. Continúa en estado de coma. No ha vuelto en sí, ni ha hablado con nadie desde que cayó en shock.

Leonardo asintió, percibiendo cómo se le resquebrajaba el alma. Revivió en su mente el dialogo más revelador:

Cómo me gustaría que pudieras verme. Eso me evitaría explicarte tantas cosas.

¡Necesito que me mires antes de salir de aquí!

Pareces una momia.

Estás llena de tierra.

Apenas distingo tus rasgos.

¡Mírame bien!

Recordó cuando los rescatistas estaban a punto de sacarlos y él estiró el cuello para ver a su hermana. Una oleada de terror lo invadió. Apenas pudo susurrar. "¡No... no es cierto!". Había escondido la cabeza de inmediato y se había dicho a sí mismo que acababa de ver un espejismo, que su cerebro le había jugado otra broma cruel... Por eso bloqueó la imagen de inmediato, diciendo: "Es una alucinación... Mi hermanita está bien. Está aquí. Va a salir viva conmigo."

Pero no era así.

Lo que acababa de observar era la monstruosa caricatura de un rostro conocido lleno de sangre coagulada sobre la frente, costras de tierra en las mejillas y ojos enrojecidos de forma grotesca... El rostro maltrecho de su esposa, Denise.

21

UN HOMBRE SIN MUJERES

Comenzó a llorar. Estaba sobrecogido, impresionado, asustado, confundido.

—Esto es increíble —sollozaba en voz baja—. ¿Cómo ocurrió? Dios mío...No puede ser... ¡Mi esposa! ¿De qué forma llegó hasta ahí? ¿Por qué no me di cuenta? ¡Cómo se atrevió a engañarme! —fue levantando el volumen—. Estuvimos juntos durante más de cincuenta horas y no me dijo quién era. Hablamos sobre ella y sobre mi hermana. ¿Por qué jugó ese juego conmigo? ¡No entiendo! —gritó sin dejar de llorar—. ¡NO ENTIENDO!

Todos en la sala de recuperación habían guardado silencio y lo miraban.

—Tranquilícese —le dijo el doctor—. En tragedias como ésta, ocurren cosas muy raras.

—No... Esto es *demasiado* raro.

Se tapó la cara con las sábanas y emitió lamentos que provenían de las profundidades de su alma. Era imposible escucharlo sin estremecerse.

El padre de Leonardo estaba quieto, observando la escena. Se veía más avejentado que nunca. La piel de la cara le colgaba y sus ojos estaban marchitos.

Leonardo se controló poco a poco y levantó la vista para decirle al doctor:

—Déjeme ver el cuaderno. ¿En qué parte dice "necesito tu... tu calor, te amo con todo el corazón"?

—Aquí.

Los murmullos de la sala reiniciaron poco a poco y los médicos volvieron a sus actividades.

—¿Alguien tiene una pluma que me preste?

El doctor se la dio de inmediato.

—Quiero estar solo...

—Claro. Relájese un poco. Ahora vuelvo.

Leonardo no contestó. Se limpió la cara y comenzó a extraer cada palabra suelta de las libretas para descifrar mensajes truncados. Escribió en una hoja aparte:

> *Vine / México / Aisha / muy tarde / sola / ayuda / necesitaba / tu madre / divorciarme / no / sabía / regresarías / llegué / esperándote / también/ hospedó / un tiempo*

Analizó el rompecabezas y trató de juntar las piezas como se hace en los exámenes de inteligencia verbal. Hizo varios ensayos. Al fin redactó.

> *Vine a México para ver a Aisha, pero cuando llegué ya era muy tarde... tu madre estaba sola. Necesitaba ayuda... Ella me hospedó en su casa por un tiempo y yo acepté porque sabía que tú regresarías ahí también. No quería divorciarme.*

Leonardo observó el párrafo con angustia y se preguntó si no estaría acomodando frases a su conveniencia. Negó con la cabeza. Para él todo comenzaba a aclararse.

Revivió las primeras frases bajo los escombros.
Ella había estado inconsciente durante varias horas.

No sé cómo me llamo, pero lo que sí sé es que no tengo hijos.
Hubo un incendio en este bosque.
Un árbol me está aplastando.
Las ramas me cayeron en la cabeza...

Ella recuperó la cordura poco a poco mientras trataba de detener la hemorragia de su frente. Más tarde dijo:

Necesito explicarte muchas cosas. Tú crees que yo estoy confundida, pero el confundido eres tú.

Él siempre asumió que hablaba con Aisha y que ella estaba enferma, por eso le aseguró:

¡Nada me causa más alegría en esta tragedia que poder escuchar a mi hermanita! Aisha, tenerte cerca de mí aquí es una desgracia, pero al mismo tiempo es el regalo más grande que Dios pudo darme.

Y Denise no tuvo el valor para desengañarlo. Así que cambió el tema de la charla.

Leonardo, háblame tú a mí... O mejor aún, rompe esta pared. Ven aquí conmigo... Por favor. Quiero abrazarte. Tus abrazos me daban tanta paz...

Ahora comprendía por qué ella le decía que echaba de menos sus abrazos cuando él no recordaba haberle dado ninguno a su hermana.
Sacó otra lista de palabras de las libretas.

No pude / decirte / verdad / tomaste / mano / dijiste / Aisha / estaba feliz / con ella / imaginaria

Armó la frase con los vocablos sueltos:

Cuando tomaste mi mano y me llamaste Aisha... No pude decirte la verdad... Me sentí feliz de que pudieras estar con ella, al menos de forma imaginaria...

Siguió pasando las hojas. Muchas locuciones más saltaban del cuaderno, aquí y allá, incompletas, incoherentes, pero lo suficientemente claras para mostrarle una versión distinta de la realidad. La cabeza le pesaba. Encontró parte de la carta que él le escribió a su padre. La mayoría de las palabras eran ininteligibles.

—Papá... —dijo al fin—. Tú estuviste ahí cuando me rescataron... Unos momentos después sacaron a mi esposa. ¡Y la viste!

El hombre, asintió sin dejar de acariciar con firmeza el brazo de su hijo.

—¿Dices que era tu esposa? La... la mujer que rescataron después de ti estaba... Bueno, no podría asegurarlo, pero parecía...

—¿Muerta?

—Sí.

—Tienes que ir a buscarla. La conoces. Se llama Denise Ciani.

—¡Denise! Supe que te fuiste con ella, pero no sabía que se habían casado... ¿Qué hacía adentro?

—No lo sé. Por favor. Yo no puedo moverme, pero tú sí —la voz se le quebró—. ¡Ve a preguntar por Denise! —tragó saliva—, súbete a tu carro y busca en los hospitales de la ciudad, hasta que la encuentres —las lágrimas de angustia volvieron a salir de sus ojos—. Necesito saber si está viva.

—Esto es una locura.

—Sí, papá. Toda nuestra vida lo ha sido...

El hombre detectó zozobra legítima en su hijo.

—De acuerdo —se puso de pie—. Voy a buscar a tu esposa.

—No regreses sin noticias.

Leonardo lo vio alejarse. Jugueteó con la pluma y los cuadernos.

Miró el reloj con impaciencia.

Después de una hora se fue tranquilizando. No podía hacer nada. Sólo esperar.

Pasadas tres horas buscó una hoja en blanco y escribió:

He vivido la experiencia más increíble que jamás imaginé. Regresé a mi viejo hogar y todo se colapsó.

Mi esposa está perdida, mi hermana inconsciente, mi madre moribunda.

Soy un hombre sin mujeres. ¡Y un hombre sin mujeres está vacío!

No me imagino mi vida así. Sería una vida apagada. Una vida sin vida...

Las mujeres están dotadas del misterioso don de dar vida. Son dadoras de luz, depositarias del destino principal del ser humano, forjadoras de las generaciones y las naciones...

Los hombres no sabemos lo que es dar vida. Debe ser como contemplar un genuino milagro lento (de nueve meses) en nuestro propio cuerpo. Algo que se escapa al control humano.

El regalo que Dios les dio a las mujeres, de ser co-creadoras con él las hace una especie invaluable en el plan de la humanidad.

Las mujeres en su dimensión humana, por otro lado, tienen los mismos derechos y obligaciones que los hombres, y es incorrecto que las releguemos a un segundo término o ellas acepten el cómodo espacio de resignación a la inferioridad.

En las culturas orientales (algunas más que en otras) las mujeres son tratadas casi a la par que las bestias, pero no dan muestras de rebeldía inteligente, por lo que se hace imposible todo intento de evolución.

Una sociedad en la que se oprime a la mujer es necesariamente una sociedad salvaje, atascada, pestilente.

Los hombres sin mujeres no tenemos vida.

Leonardo cerró el cuaderno y trató de descansar.

Lo que acababa de escribir, lejos de ayudarle a conciliar el sueño, le produjo un terrible malestar.

—Vivir es lo único que me preocupa ahora. Salir vivo de aquí.

—Pero no así, Leonardo. ¿Para qué? Seguirías enterrado... Estarías como muerto.

Luego pensó en Aisha. ¿Dónde estaría? Todo ese tiempo se conectó de tal modo a sus necesidades que jamás había estado más cerca de ella. Por ese lado, era una lástima que todo hubiera sido imaginario.

¡Cómo le hubiera gustado conversar de verdad con su hermanita, desahogarse a su lado, hablarle del pasado, demostrarle amor, darle ánimos, pero sobre todo compañía y seguridad de que no estaba sola! Porque así como el hombre sin mujeres está muerto, las mujeres sin hombres también lo están.

Las mujeres no valen o dejan de valer por sus problemas del pasado, sino por lo que ellas pueden declarar en su presente...

Yo sufrí decepción, abuso y traición, pero jamás me repuse.

Leonardo quiso girar sobre su cuerpo, y de inmediato sintió el tirón de la férula amarrada a la cama. Pasó el resto de la noche en duermevela.

A las seis de la mañana alguien lo movió. Abrió los ojos de inmediato. Su papá estaba parado junto a él.

—¿Qué pasó? —preguntó levantando la cabeza—, ¿la encontraste?

El hombre asintió con seriedad.

Leonardo guardó el aliento por unos segundos tratando de adivinar. Vio cómo el rostro de su padre se suavizaba y esbozaba una ligera sonrisa antes de decir:

—Está viva.

—¿De verdad?

—Sí. Tiene tres costillas fracturadas y un golpe impresionante en la frente, pero está fuera de peligro.

Leonardo exhaló e hizo una profunda inhalación de alivio, luego llamó a la enfermera con urgencia.

—Por favor, quíteme el suero. Me tengo que ir.

—No sé si pueda.

—Señorita. *Me voy* a ir. Encontraron a mi esposa.

Antes de que la enfermera pudiera actuar, Leonardo ya se había desprendido la cinta adhesiva del brazo para jalarse la manguera de nuevo.

—¡Espere! ¿Dónde está su esposa?

—¿Dónde está, papá?

—En este hospital. En el octavo piso. Recorrí toda la ciudad sin éxito y al final volví, decepcionado, para encontrarme con la noticia de que la habían traído aquí.

—Me urge verla.

La enfermera lo liberó y le pidió que aguardara unos minutos. Se fue y volvió con unas muletas.

—Son un poco chicas, pero le servirán. Tome. Camine con cuidado.

—Sí. Sí. Gracias.

Le dio los cuadernos a su padre, atravesó con él la enorme sala colectiva de recuperación y fueron hacia los elevadores.

Estaba impaciente por ver a *su mujer.*

Recordó algunas frases más que había escrito durante la noche.

Las mujeres que no tratan de ser como hombres son inspiración para la humanidad: su altruismo da testimonio de fortaleza ante las desgracias; su ternura brinda una cara de comprensión y buen trato entre la gente, su sensibilidad nos enseña a no dejarnos llevar sólo por valores materiales...

Ellas son depositarias y transmisoras de todos los elementos que constituyen una cultura: tradiciones, hábitos, formas de pensar, valores y principios...

Los hombres sin mujeres, podemos estar vivos, pero no tenemos vida.

Al fin llegaron al octavo piso. Avanzó por el pasillo dando brinquitos torpes apoyado en las muletas que no sabía usar. Quiso arrojarlas y andar en un sólo pie, pero su padre lo tranquilizó.

—Ya llegamos.

La habitación de Denise estaba en silencio. Leonardo entró despacio y la vio... Tenía la cabeza vendada y los ojos amoratados, como si acabase de recibir un par de derechazos en una pelea de box. Su tórax se hallaba fajado con rigidez y la mano izquierda conectada al suero. Sintió la presencia de alguien y volteó...

Abrió mucho los ojos y el rostro maltrecho se le iluminó.

—¡Leonardo!

Él se acercó despacio sin decir palabra.

Denise tragó saliva.

Al fin estaban de frente después de varios meses. Tenían demasiado de qué hablar. Mucho que aclarar, pero no era el momento. Recordó las palabras del cuaderno.

Necesito que me abraces. Necesito tu calor. Te amo con todo el corazón...

Terminó de acercarse y se agachó para abrazarla. Como su cuerpo estaba hidratado de nuevo, comenzó a llorar con lágrimas reales. Ella también lloró y los sollozos de ambos fueron un pacto de perdón.

Muchos años atrás, cuando estudiaban el bachillerato, Leonardo escribió sobre el muro de la escuela un enorme graffiti que decía "te amo Denise". Fue descubierto y enviado, como castigo a otro plantel para jóvenes conflictivos; antes de irse se sentó en la acera frente al colegio. No sabía de qué forma se lo explicaría a sus padres. Entonces una persona le tocó el hombro. Se paró de un salto. Era Denise. Ella jamás había tomado en cuenta a Leonardo, pero cuando vio que el muchacho estaba perdiendo todo por su descarado deseo de alcanzarla, se acercó a él. No hablaron mucho. Se abrazaron y algunas lágrimas de alegría corrieron por el rostro de ambos. A Leonardo ya no le importó sufrir un castigo si eso había servido para ganar a Denise.

Ahora estaba sintiendo lo mismo.

Se separó de ella.

—Papá, ven. Permíteme los cuadernos —los mostró a su esposa—. Quiero que veas esto.

Ella los hojeó. Después de un rato dijo:

—Los recuperaste.

—Sí, amor. Aquí está la prueba de que tú y yo estuvimos comunicándonos. Pero ¿por qué me engañaste? ¿Por qué nunca me dijiste que eras tú?

—Te lo dije varias veces. Incluso lo escribí. Sólo que allá abajo, en los escombros, de tiempo en tiempo no sabía ni quién era ni donde estaba. Hubo muchos momentos confusos. Tú me llamabas “Aisha” y en varias ocasiones yo permití que te desahogaras con tu hermana a través de mí.

Leonardo tomó una de las libretas y pasó las hojas, sin acabar de comprender.

—A ver, Denise. Tú me escribiste una larga historia sobre la joven que fue violada y después habló en público frente a mucha gente para exigir que la respetaran, ¡pero no encuentro el texto en ninguna de las hojas!

—Leonardo, yo estaba muy débil. Jamás redacté párrafos largos. No hubiera podido hacerlo.

—¿Entonces?

—Esa historia de la que hablas te la conté hace mucho, cuando vivíamos en España. Le ocurrió a una jovencita del grupo al que yo asesoraba.

—¿De veras?

—Claro. Por lo que estoy entendiendo, date cuenta, después del terremoto, nuestras mentes no estaban muy claras. A veces caíamos en inconsciencia, a veces conversábamos y a veces imaginábamos.

—Denise… ¿Cómo fue que logramos sobrevivir a esto?

—No tengo la menor idea, pero después de lo que nos pasó, podemos atravesar por cualquier tormenta juntos.

Leonardo sonrió sin tratar de impedir que las lágrimas le surcaran el rostro al mismo tiempo.

Por primera vez sintió que de verdad había salido de los escombros.

EPÍLOGO

La mamá de Leonardo sufrió muchas complicaciones de salud. Su organismo rechazó el transplante que le hicieron y cayó en una crisis que la tuvo al borde de la muerte. Después de varios meses y dos nuevas cirugías al fin comenzó a recuperarse. Leonardo y Denise estuvieron a su lado todos los días. Cuando salió del hospital, la llevaron a un hermoso departamento que le compraron en una colonia tranquila, lejos de las fallas sísmicas de la ciudad.

El señor Villa siguió de cerca la recuperación de su esposa, pero nunca quiso acercarse a hablar con ella.

Aunque Leonardo y Denise varias veces trataron de propiciar que la pareja dirimiera sus diferencias, el señor Villa decía que había cosas en las relaciones entre viejos incomprensibles para los jóvenes.

—Ustedes no tienen idea de las formas en que yo humillé a mi mujer. Ella jamás me perdonará. Déjenos en paz. Estamos bien, cada uno viviendo por nuestro lado.

A Aisha le desconectaron todos los aparatos que la mantenían con vida siete meses después de que cayó en coma y aún así, siguió respirando. El señor Villa se mudó a una modesta casa cerca del albergue médico en el que estaba su hija. Se pasaba velando la mayor parte de los días y las noches esperando que despertara. Cargaba sobre los hombros el peso de una culpa que no lo dejaba ni respirar.

Leonardo y Denise habían aprendido algo sobre cargas asfixiantes, así que una noche, cuando el hombre se fue a descansar, lo visitaron.

—Pasen, por favor —les dijo al verlos llegar—, no tengo sala, pero pueden sentarse en las sillas de la cocina.

Denise entró primero. Se había repuesto por completo de sus heridas y lucía más bella que nunca. Leonardo la siguió. Él, por su parte, todavía cojeaba un poco y usaba bastón.

—Supe que van a regresar a España.

—Sí, papá, pero sólo por un tiempo. Venderemos la casa que compramos en Cádiz y volveremos a México.

—También deseamos renovar nuestros votos matrimoniales —dijo Denise—, aunque nos casamos en España, nuestra boda fue pequeña y desangelada. Quisiéramos que usted esté ahí. En primera fila.

—Claro... será un honor...

Hubo un momento de estatismo.

Leonardo retomó la plática con tono serio.

—Papá, venimos a hablar contigo, antes de irnos, porque estamos preocupados por ti.

—A ver —reaccionó de inmediato—. Tu madre y yo no podemos volvernos a unir. ¿Está claro? Dejen de molestar con eso.

—De acuerdo, papá. No queremos tocar ese tema otra vez; lo que importa en un matrimonio son las personas. Los individuos. Cuando uno de los dos está mal, perjudica e infecta a su pareja. De nada sirve que dos seres humanos se unan a la fuerza si existe un desequilibrio individual serio en alguno de ellos. Para hacer matrimonios fuertes cada persona debe trabajar por separado en su crecimiento y madurez.

—¿Qué quieres decirme?

—En estos días… te he visto en el hospital donde está Aisha y… Bueno, no sé cómo expresarlo… Pareces muy acabado.

—Tengo diabetes.

—Aparte.

—¿Y cómo quieres que esté? ¡Analiza mi situación! A veces me siento harto, cansado de vivir.

—¿Lo ves? Es a lo que me refiero… No puedes estar cansado de vivir. Tampoco puedes hacer lo que mi hermana hizo. ¡Mírala, dónde acabó! —y al decirlo se le entrecortó la voz—, como un vegetal…

—Ella no tuvo la culpa —la defendió—. No sé si conoces la historia. Aisha me siguió una noche al negocio que yo tenía y se decepcionó tanto de mí, que aceptó irse con uno de mis clientes. El tipo se aprovechó sexualmente de ella y le dio drogas.

—Sí, papá. Ya lo sabía.

—Voy a contarte algo más, hijo: Una vez, en el negocio, estuve observando a un borracho sentado frente a mí. Me invitó a beber y yo acepté. Era uno de esos tipos a los que el alcohol los lleva a filosofar. Le dio por el lado sentimental y comenzó a lamentarse por estar en ese tugurio de mala muerte. Yo me molesté y le dije que nadie lo obligaba y que podía irse cuando quisiera. Entonces me respondió: "Tú te sientes fuerte, tienes tu negocio, vendes alcohol a tus clientes y les ofreces mujeres. Y nosotros te pagamos con gusto. Nos encantan las viejas y el vino; nos hacen comportarnos como estúpidos. Seguramente para ti todos tus clientes somos patéticos, ¿verdad? Somos lamentables, pero tú, tan seguro de ti mismo, un día, una tarde, una noche, en el futuro, vas a sentarte solo en tu casa y vas a pensar en todo el mal que has hecho, en toda la miseria que has esparcido en el mundo… Y vas a llorar…"

El señor Villa terminó de decir las últimas frases de forma discontinua. Era evidente que la profecía del borracho se había cumplido.

—Papá, ¿leíste lo que te escribí cuando estaba atrapado? Reconstruí las frases de los cuadernos y te di la carta el otro día.

—Sí, hijo. Gracias, sólo que no me ayudó a sentirme mejor. Cuando la leí, vi resumido todo lo miserable que he sido. Tú me perdonaste, pero ¿qué me dices de tu hermana, tu madre y toda la demás gente?

—Mamá te ha perdonado y estoy seguro que Aisha también.

—¿Cómo puedes decir eso?

—Cuando me hallaba bajo las piedras tuve una experiencia casi sobrenatural. Hablé con Denise, pero ella habló en nombre de Aisha y yo me dirigí siempre a mi hermana. Sé que, de alguna forma, el espíritu de Aisha estaba ahí. No fue casualidad que todo sucediera así... y entendí muchas cosas.

—¿Cómo cuáles?

—Como el hecho de que todos los hombres somos culpables de la culpa que te aqueja, papá. A lo largo de la historia hemos despreciado a la mujer, la hemos marginado y la hemos humillado, pero ella nunca, *nunca* ha dejado de amarnos. Nuestra fuerza física no es nada comparada con su amor, porque en el amor está su fortaleza.

—¿Cómo dices? No te entiendo. Todavía estoy muy confundido respecto al tema de las mujeres... A veces las respeto y a veces las rechazo porque son como mis fantasmas de remordimiento.

—Pues tienes que cambiar esa forma de pensar. Millones de mujeres deben ser valoradas porque lo han hecho *todo* por amor. Mamá llevó siempre serenidad, paz y confianza a la casa. Su amor estaba en los detalles más insignificantes y nos lo entregó a pesar de que no lo merecíamos. Para ella, por encima de todo, estaba su familia. Cuando llegué de España la encontré luchando por ti. Todos los días le pedía a Dios para que regresaras a casa... No te digo que lo hagas, pero insisto en que debes esforzarte por respetar y honrar a las mujeres.

El hombre se miró las palmas de las manos. Su cuello inclinado y sus ojos revelaban el abatimiento que lo molía.

—Eso que acabas de decir... ¿es cierto? ¿Tu madre rezaba por mí?

—Sí papá —Leonardo giró la cabeza hacia Denise, quien se había mantenido callada—. ¿Verdad, cariño?

—Sí, señor. A mí me consta. Su esposa estaba viviendo sola, pero fortalecida y acompañada espiritualmente.

—¿Acompañada? —para el padre de Leonardo esas palabras sonaban como dialecto polinesio—. ¿Cómo puedes estar "acompañado espiritualmente"?

—¿Alguna vez ha hablado con Dios?

—Sólo una oración que aprendí de chiquito. Es la única que sé.

—¿Cual?

Comenzó a recitarla con la tonada impertinente de un anciano que se porta como niño:

—"Padre Nuestro que estás en el cielo, santificado sea tu nombre, vénganos tu reino, hágase tu voluntad así en la Tierra como en el cielo, danos hoy nuestro pan de cada día y perdona nuestras ofensas...

—Bueno, pues esa es una oración maravillosa —le dijo Denise—. Hay un sacerdote español a quien yo admiro mucho. Se llama José Luis Martín Descalzo. Es todo un filósofo. En uno de sus libros encontré un testimonio interesante.[3] Dice que cuando se siente triste o preocupado reza, como usted, el Padre Nuestro y eso le da una enorme paz. Cierto día, él

3 José Martín Descalzo. *Razones para vivir*. Ediciones Sígueme, S.A. España 2001

pensó en la tristeza que debe experimentar Dios al ver todo lo que ocurre en el mundo y se preguntó: "¿Qué hará nuestro Señor para sentir sosiego ante tanta maldad? Él no puede decir el Padre Nuestro, como yo lo hago. En todo caso necesitaría rezar un *hijo nuestro*, o mejor dicho un *hijo mío*". Entonces escribió la oración que quizá Dios mismo dice cuando nos ve en la tierra tan confundidos. ¿Tiene un papel y un lápiz? Se la voy a escribir.

El papá de Leonardo se puso de pie y fue a traer lo que Denise le pidió. Ella tomó la hoja y comenzó a delinear con su inconfundible caligrafía redondeada. Mientras lo hacía, comentaba:

—Yo creo en la "revelación privada". Creo que Dios se sigue comunicando con nosotros a través de profetas modernos, y sin duda, el padre Martín Descalzo es uno de ellos. Cuando lea esta oración, piense, por favor, que es Dios mismo quien le habla. Imagine que el Señor ha entrado a esta casa. Con los oídos de la fe escúchelo. Él lo ha buscado y, ahora quiere hablarle, contestándole de forma clara y directa con la misma oración que usted usa para dirigirse a él.

Denise terminó de escribir y dejó la hoja sobre la mesa.

El papá de Leonardo tomó el papel muy despacio, como si fuese una delicada lámina del cristal.

Observó el escrito y lo leyó con el rostro contraído.

Hijo mío que estás en la Tierra,
preocupado, solitario, tentado,
yo conozco perfectamente tu nombre
y lo pronuncio como santificándolo
porque te amo...

No, no estás solo,
sino habitado por mí,
y juntos construiremos este reino
del que tú vas a ser el heredero.

Me gusta que hagas mi voluntad,
porque cuando la haces, eres feliz,
ya que la gloria de Dios es el hombre viviente.

Cuenta siempre conmigo,
y tendrás el pan para hoy,
no te preocupes.
Sólo te pido que lo compartas con tus hermanos.

Quiero que sepas
que perdono todas tus ofensas
antes incluso de que las cometas,
por eso te pido que hagas lo mismo
con los que a ti te ofenden.

Para que nunca caigas en la tentación,
tómate fuerte de mi mano,
y yo te libraré del mal....
amén...

El hombre terminó de leer el texto y quedó inmóvil. La hoja en sus manos tembló un poco. Se mordió el labio inferior y su rostro enrojeció por un quebrantamiento contenido. Después agachó la cara y apretó los ojos esforzándose por aguantar el llanto.

—He sido un arrogante… —murmuró—. ¿Cómo he vivido con tanta ceguera? Siempre creí que no necesitaba de nadie. Mucho menos de Dios. La soberbia me dio control. La vanidad me hizo poderoso, pero era una ilusión —se llevó las manos a la cabeza—. Por ególatra perdí todo y le quité todo a mucha gente… Tú Leonardo, pudiste ser un gran deportista, tenías un potencial increíble, pero te abandoné en mitad de la carrera y te arrojé basura a la cara… Aisha pudo ser una gran mujer. Era dulce, cariñosa y de gran inteligencia; yo jamás la apoyé ni la motivé. Sólo la encerré en una torre y le oculté mi verdadero rostro —la congoja lo venció—, y tu madre… —comenzó a llorar—, tienes razón, Leonardo. Lo hizo todo por amor. No entiendo cómo me aguantó. Fui un patán con ella. Dios mío —su llanto se hizo abierto y abundante—, he sido un arrogante… He sido un malvado… repudio mi vida pasada, ¡siento asco de mí mismo! Perdónenme ustedes —se puso de pie y miró a su hijo, sin parar de llorar—, estoy tan arrepentido por haberte quitado tu inocencia, tu hogar… —se volvió para dirigirse a Denise—. Y tú, hija… Porque ahora eres mi hija ¿sabes? No sé si Aisha vaya a volver en sí. No creo. Tal vez su cerebro ya se murió, pero tú estás viva. ¡Y eres una gran hija! Siempre enalteceré la memoria de Aisha en ti. Te trataré a ti como si fueras ella… Denise. Perdóname —abrazó a su nuera y siguió llorando sin intentar controlarse.

Leonardo observó la escena conmovido hasta los huesos. Era curiosa la forma en que el ego de ese hombre se había quebrantado, tal y como su mamá lo visualizó… Otra vez comprobaba lo que Denise le había dicho una y otra vez: El Señor está cerca de quienes le invocan de verdad y le hablan con sinceridad; él cumple los deseos de los que le honran.*

¡Que forma tan extraña y revolucionaria estaban usando las mujeres para conquistar el mundo! Trabajando con energía, pero enalteciendo las relaciones humanas. Haciendo propuestas agresivas para hacerse oír y darse a valer, sin perder de vista la estrategia inteligente; dirigiendo su amor como un rayo láser hacia ellas mismas, hacia los demás y hacia el Creador.

—Mi padre murió hace mucho —dijo Denise haciendo el momento más impresionante—. Pero ahora lo acepto a usted como mi papá... Yo también lo trataré a usted como trataría a mi padre, lo respetaré y querré siempre.

El señor Villa movió la cabeza en forma negativa.

—Denise, yo no merezco eso que acabas de decir... Tampoco merezco que Dios me diga a mí lo que escribiste. Pensar que él pudiera hablarme de esa forma es lo que me rompió el corazón. Yo les prometo, hijos, que voy a pedirle perdón a mi esposa. No para volver a su lado, si no lo desea, pero sí para decirle cuánto la aprecio y la admiro. Me pondré de rodillas frente a ella y le diré que me perdone. Y no me malinterpreten, porque ahora entiendo que un hombre que se humilla no es menos hombre. La verdadera caballerosidad debe comenzar en la humildad y yo quiero empezar a ser un caballero.

Leonardo y Denise se miraron sin tratar de ocultar su emoción. Ambos eran complementarios, ayuda idónea mutua, conquistadores de los mismos sueños.

Hombre y mujer, eran "uno" para hacer el bien.

Esta obra se terminó de imprimir el mes de
mayo de 2008 en los talleres de Gráficas
Monte Albán, S.A. de C.V.
ESD 64-6-M-15-05-08